日本は食料危機にどう備えるか

コモンズとしての水田農業の再生

石坂匡身・大串和紀・中道 宏
ISHIZAKA Masami　OGUSHI Kazunori　NAKAMICHI Hiroshi

農文協

はじめに

今、私たちは、お金さえだせば好きなときに好きな食べ物を好きなだけ食べることができ、豊かな食生活を営んでいる。私たちはそれをごく当たり前のこととして生活しているが、果たしてこのような状態が末永く続くと考えてもよいのだろうか。

実は、日本の食料自給率は37％（カロリーベース）に過ぎず、国民の食料の大半を海外に依存しており、海外の動向で、わが国の食料事情は大きく左右される構造にある。

世界は、これまで急増する人口を耕地の拡大や化学肥料の投入等で何とか賄ってきたが、今後は、地球環境が悪化するなか、耕地の拡大が困難となり、肥料や農薬といった農業資材の投入等も環境負荷軽減の面から制約されてくるだろう。その一方で、世界の人口はまだまだ増加傾向にある。世界全体として食料が足りず十分でない状態（「不足の事態」）はすぐそこにみえている。さらに、地球環境悪化にともなう気象災害の頻発や地域紛争の勃発等によりわが国への食料輸入等が滞る「不測の事態」の発生頻度も、今後一段と増えてくるに違いない。ロシアのウクライナ侵攻による世界の穀物価格高騰等はその一例に過ぎない。

このように食料危機が迫ってきているというのに、わが国では食料自給率の低下に歯止めがかからず、食料生産の基盤となる農地の減少も一向に下げ止まる気配がない。にもかかわらず、食料安全保障に関する日本の姿勢は、これまでと同様に展望と緊張感を欠く。

自国防衛と食料自給に努力を怠る国は地球環境の悪化や国際情勢の緊迫化に腐心している世界から信頼を得られないだろう。本書では、そうした見地から、私たちの生活にとって必須である食料の確保が今後は危ういものとなりかねないとの問題を提起し、そのうえで、食料自給率の向上と、それを支える農地の確保とコモンズの重要性について論じ、あるべき国のあり方を問うものである。

そしてこれを契機に、多くの方々に、改めて日本人にとっての水田農業、稲作とは何なのか、環境に配慮した持続可能な農業や農村、食生活のあり方はどうあるべきかを考えていただければ幸いである。

目次

目次

第1章

日本の食生活の現状

食料に不自由しなくなった日本

今、私たちは、お金さえだせば、好きな時に好きな食べ物を好きなだけ食べることができる。このような状態を、私たちはごく当たり前のこととして生活しているが、実は、日本人が食べ物で不自由しなくなったのは、つい最近の出来事なのだ。

筆者らが幼少のころ、日本は貧しかった。第二次世界大戦に敗れて国土は荒廃し、また、外地からの引揚者たちも多く、食べる物に不自由していた。主食のコメも自給できず、今ふんだんに食している牛肉や豚肉などは、ほとんど食べることができなかった。正月などの祝い事の折に、家で飼っている鶏をつぶして食べるのが、たいへんなご馳走だった。

当時は、食料増産対策が国政の一番の課題であったのである。

このような状態が変わったのは、昭和42（１９６７）年にコメの自給を達成でき、また、日本経済が高度成長を遂げ、国民が豊かになってからである。

国が経済的にも豊かになったことや世界各国との良好な経済関係もあって、食料を海外からの輸入に大きく依存するようになり、また外食も一般的となった。ライフスタイルも多様化し、私たちは好きな食べ物を好きな時に楽しむことができるようになった。

今日の食生活を支えるもの

図1―1は、農水省の資料〔＊1〕に掲載された食料自給率の品目ごとの推移であるが、令和2（2020）年度の1人1日当たりの供給熱量は2269kcalで、昭和40（1965）年度の2459kcalとほとんど変わりがない。しかしながら、1人1日当たりの供給熱量の変化を品目別にみると、昭和40年度から令和2年度の間で、国内で自給可能なコメの割合が大きく低下する（図1―1の①のライン）一方、畜産物や油脂類の割合（図1―1の①から②のライン及び②から③のライン）が大きく拡大している。そして、この油脂類や畜産物の生産は輸入に大きく依存しており、その結果、供給熱量ベースの食料自給率は73％から37％へと大きく減少した。

同資料には、食生活の変化のイメージとして図1―2が示されている。

また、図1―3において「日本が輸入している農産物のうち、穀物と油糧種子について、その輸入量を生産するために必要な海外の農地面積は、日本国内の農地面積の2・1倍に相当する913万haとなります」との記述がある。

つまり、現在の豊かな食生活は、輸入農産物に支えられているといっても過言ではない。

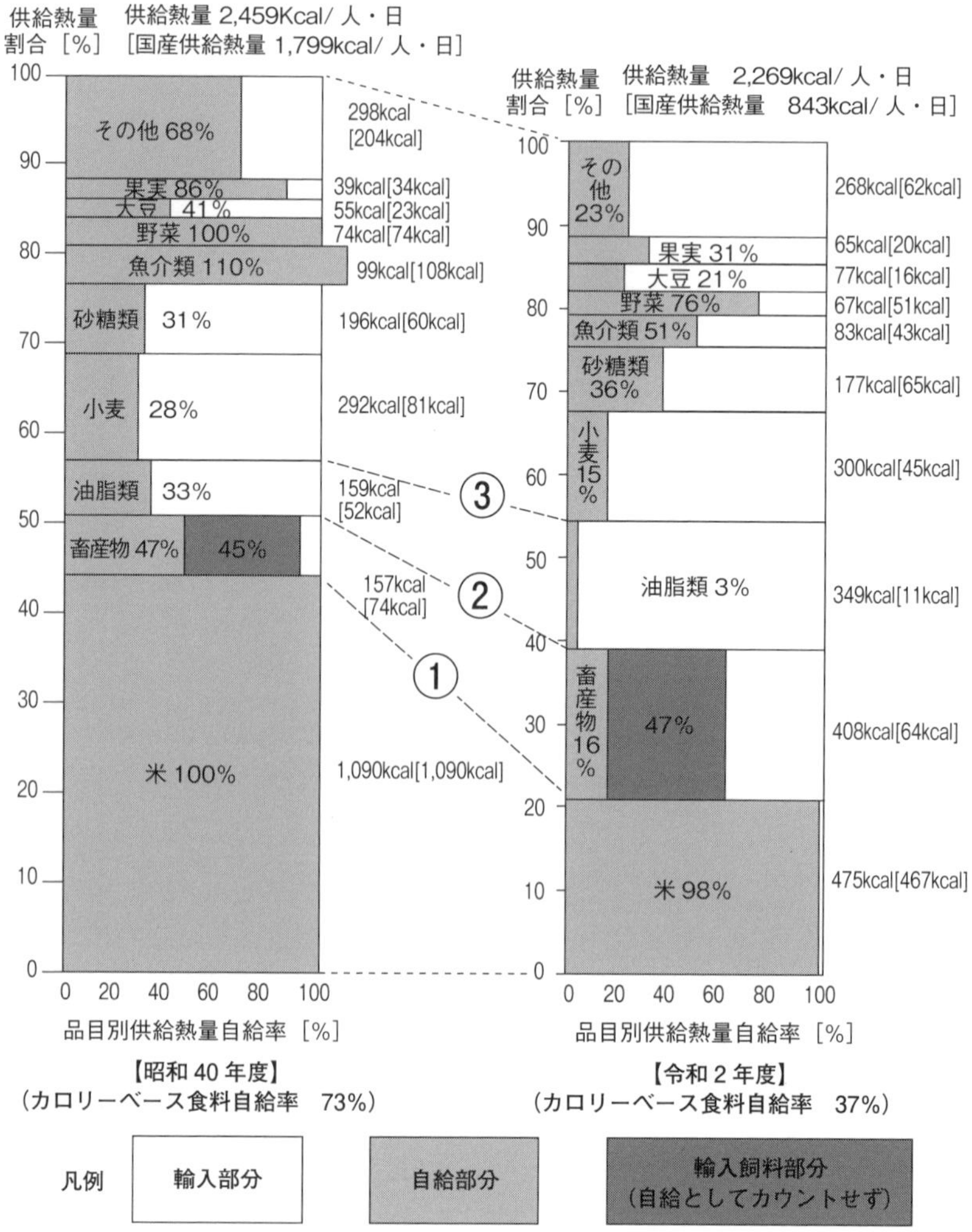

図 1–1 昭和 40 年度と令和 2 年度の食料消費構造の比較

出典：農林水産省 「知ってる？ 日本の食料事情 2022 ～食料自給率・食料自給力と食料安全保障～」令和 4 年 3 月

	ごはん	牛肉料理	牛乳	植物油	野菜	果実	魚介類
	茶碗1杯 ＝精米 60g	1食150g	牛乳瓶	1.5kg ボトル			
昭和40年度	1日5杯	月1回	週に2本	年に3本	1日300g 程度	1日80g 程度	1日80g 程度
令和2年度	1日2.3杯	月3.6回	週に3本	年に10本	1日240g 程度	1日90g 程度	1日60g 程度
	自給可能	（飼料は輸入）			加工品の輸入が増加		

図1–2　食生活の変化のイメージ（1人当たりの消費量の変化）

出典：農林水産省 「知ってる？　日本の食料事情 2022 ～食料自給率・食料自給力と食料安全保障～」令和4年3月

日本が輸入している農産物のうち、穀物と油糧種子について、その輸入量を生産するために必要な海外の農地面積は、日本国内の農地面積の2.1倍に相当する913万haとなります。

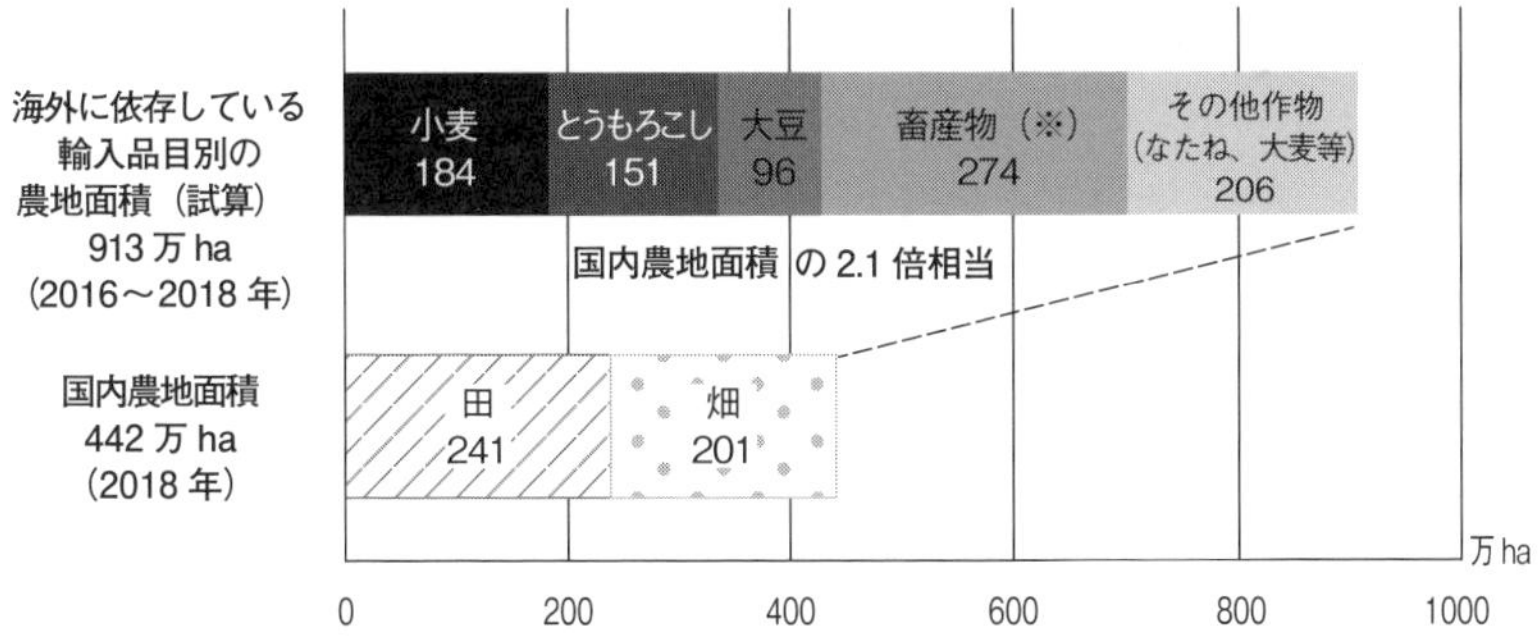

図1–3　日本の農産物輸入量の農地面積換算（試算）

出典：農林水産省 「知ってる？　日本の食料事情 2022 ～食料自給率・食料自給力と食料安全保障～」令和4年3月

昭和40年とはどういう時代か

日本の高度経済成長期は、一般的に１９５０年代から１９７０年代といわれており、とくに日本経済が飛躍的に成長を遂げた時期は１９５４年12月から１９７３年11月までの約19年間で、昭和40（１９６５）年はその中ごろに位置する。

この間、昭和39（１９６４）年に前回の東京オリンピックが、昭和45（１９７０）年に大阪万博が開催された。東京オリンピックでは外国人観光客のために多くのホテルが建設され、ホテルのレストランから西洋料理が広まっていった。また大阪万博では日本で初めてファーストフード店が出店し「外食産業の夜明けの年」と言われるなど、国民の食生活スタイルが大きく変わったとされる〔＊2〕。

農業関係では、戦後の食料難が徐々に解消され、農政の重点が食料増産から農業の選択的拡大を目指す方向に転換された時期であり、農政の基本的構想を示した法律である農業基本法が昭和36（１９６１）年に制定されている。

コメについては、前述したように昭和42（１９６７）年に国内での自給が達成され、昭和45年からはコメ余りに対処するため減反政策が始まった。

また、食生活では、「経済が高度成長するにともない、コメを主食にし、魚、大豆、野菜を副食の主体にした日本の伝統的食生活から、主食はパンに、主菜も魚主体から油脂を使った肉類の料理、副菜は西洋野菜、サラダと生の野菜を使った献立にと変化」〈＊3〉しつつある時期に当たるが、まだ国民１人・１年当たりのコメの消費量は現在の約２倍の１１１・７kgと、依然としてコメが食生活の中心であった。

昭和40年の食料自給率はカロリーベースで73％、食料自給力指数（国内生産のみでどれだけの食料を最大限生産することが可能かを試算した指標で、平成27（２０１５）年から公表されている）はコメ・小麦中心の作付けで２０５６kcalと、推定熱量必要量（２１５２kcal）の95％である。また、当時の農地面積は約６００万haで、わが国が歴史上最大の農地をもった時期でもある。

供給熱量と摂取熱量

食料自給率は供給熱量ベースで語られるが、供給熱量には流通段階も含めて破棄された食品や食べ残された食品も含まれているため、実際に人に摂取された摂取熱量との間には差が生じ、この差は、食品の廃棄や食べ残し（いわゆる食品ロス）の目安とされる。

図１―４は農林水産省の「食料需給表」と厚生労働省の「国民健康・栄養調査」を基に供給熱量と摂取熱量の推移をグラフ化したものである。

わが国の国民１人・１日当たりの供給熱量は、平成８（１９９６）年度の２６７０kcalをピークにコメや魚介類を中心に減少を続け、令和元（２０１９）年度は２４２６kcalとなっている。

一方、摂取熱量は、昭和50（１９７５）年から減少傾向で推移し、令和元（２０１９）年度は

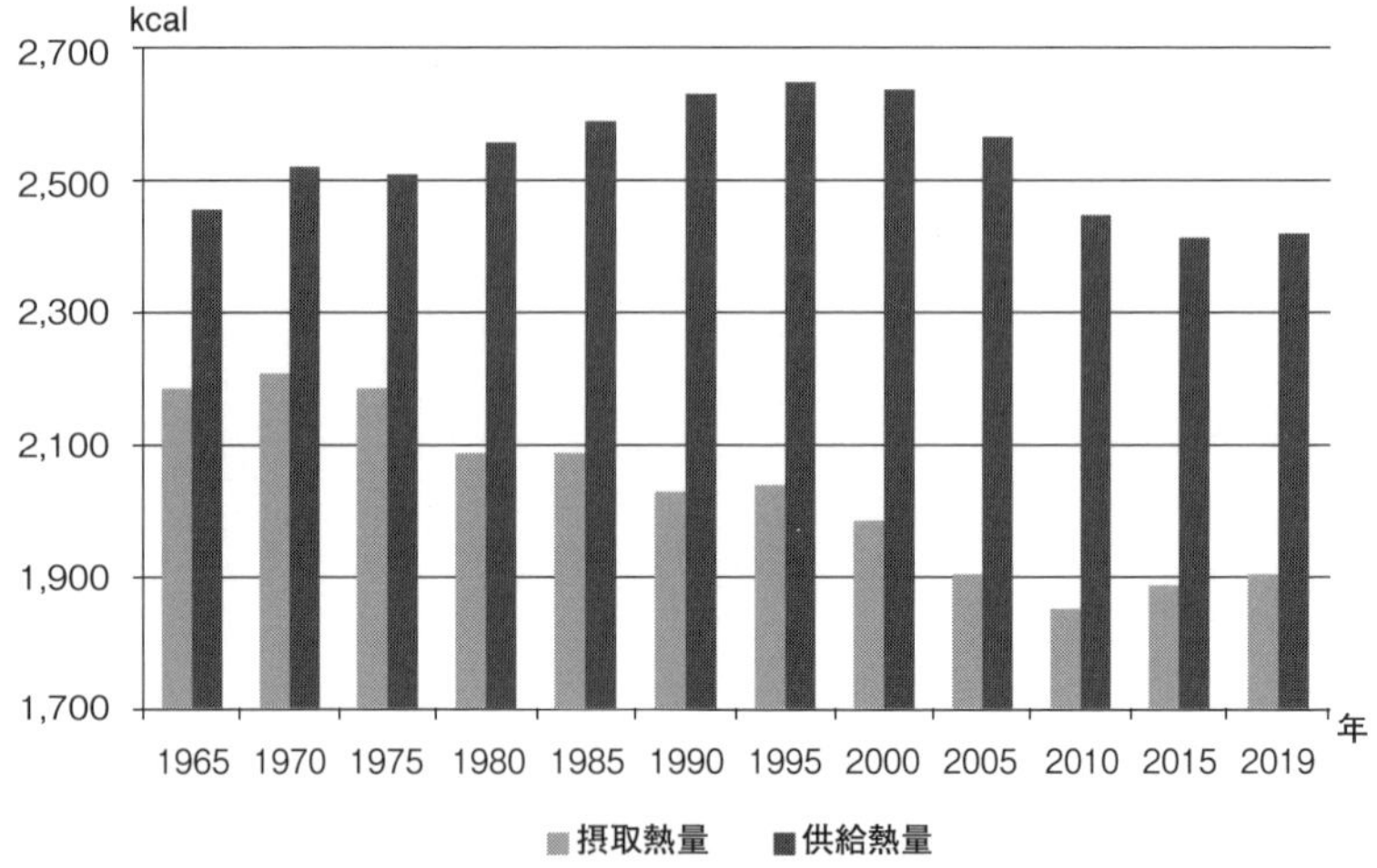

図1―4　供給熱量と摂取減量の推移

出典：摂取熱量は厚生労働省 「国民健康・栄養調査」、供給熱量は農林水産省「食料需給表」

1903kcalとなっている。

昭和50年の両者の間の差は13%程度であったが、平成8（1996）年には25%まで増大し、その後令和元年には食品ロス削減に向けた取り組みもあり、23%と若干減少してはいるものの、まだ非常に高い水準にある。

食品ロスの実態

農林水産省（＊4）によると、まだ食べられるにもかかわらず捨てられた食品の量は年間約570万t（令和元（2019）年度）にも達するという。いつでも必要なだけ食べ物を手に入れられるという生活は、一方で大きな無駄を生んでいるのだ。これを国民1人当たりに換算すると、毎日およそ茶碗1杯のご飯に近い量（約124g）

を、また年間1人当たりコメの消費量（約53kg）に近い量（約45kg）の食品が捨てられているという。また、市町村におけるごみ処理経費（食品廃棄物を含む一般廃棄物の収集処理等に要する経費）は2兆８８５億円（令和元年度）、1人当たりの経費は1万６４００円／年という。

日本での食品ロスの原因は、大きく分けて2つあり、一つは、スーパーマーケットやコンビニエンスストアなど小売店での売れ残りや返品、飲食店での食べ残し、売り物にならない規格外品といった事業系食品ロス（３０９万t）。もう一つは、家での料理のつくり過ぎによる食べ残しや、買ったのに使わずに捨ててしまうこと、料理をつくるときの皮のむき過ぎなどの家庭系食品ロス（２６１万t）である。

農林水産省は、「現在、地球上には約77億もの人々が生活をしているが、途上国を中心に8億人以上（約9人に1人）が十分な量の食べ物を口にできず、栄養不足で苦しんでいる。その一方で、先進国では余った食料がまだ食べられるのに捨てられているのが現状だ。日本の食料自給率は先進国の中でも低く、多くの食べ物を海外からの輸入に頼っていながら、多くの食品ロスを生み出しているという状況は、社会全体で解決していかなくてはならない課題の一つ」（*5）としている。

このような現状を踏まえ、わが国では令和元（２０１９）年に、「食品ロス削減推進法」が制定され、翌年3月に「食品ロスの削減の推進に関する基本的な方針」を閣議決定し、事業系食品ロスを、令和12（２０３０）年度までに平成12（２０００）年度比で半減、同様に家庭系食品ロスについても令和12年度までに半減させる目標を設定している。

食品ロスを放置すると、大量の食べ物が無駄になるだけでなく、環境悪化や将来的な人口増加による食料危機にも適切に対応できない。食品ロスの削減は、先進国にとっても途上国にとっても、避けて通れない喫緊の課題となっている。

食料安全保障を考える基準は？

平成11（1999）年に策定された「食料・農業・農村基本法」では、第二条で「食料は、人間の生命の維持に欠くことができないものであり、…（中略）…凶作、輸入の途絶等の不測の要因により国内における需給が相当の期間著しくひっ迫し、又はひっ迫するおそれがある場合においても、国民生活の安定及び国民経済の円滑な運営に著しい支障を生じないよう、供給の確保が図られなければならない」と規定されている（世界全体として長期間食料が不足する事態は考慮されていないようである）。

では、「不測の要因により国内における需給が相当の期間著しくひっ迫し、又はひっ迫するおそれがある場合」に、「供給の確保」を図るべき食生活の内容の基準とは、どのような内容なのであろうか。当然、最悪の場合、食生活を切り詰め、無駄をなくし、国内で生産できるものを精一杯利用する状態を想定すべきであろう。

筆者は、国内の農地や資源を最大限有効に利用しつつ、やっと食料難を克服した昭和40（1965）年の水準が一つの目安になるのではないかと考える。

【参考文献】

＊1 農林水産省「知ってる？ 日本の食料事情 ２０２２～食料自給率・食料自給力と食料安全保障～」令和４年３月
https://www.maff.go.jp/j/zyukyu/zikyu_ritu/attach/pdf/panfu1-10.pdf

＊2 日本の西洋料理の歴史 http://www.seiyouryouri.yokohama/jphist/jphist25.html

＊3 野口潤子「現代日本における食の環境と食卓の変化――子どもと家族に焦点を当てて――」佛教大学大学院紀要 社会学研究科篇 第38号（２０１０年３月）
https://archives.bukkyo-u.ac.jp/rp-contents/DS/0038/DS00380L037.pdf

＊4 農林水産省外食・食文化課食品ロス・リサイクル対策室「食品ロス及びリサイクルをめぐる情勢（令和３年11月時点版）」
https://www.city.koto.lg.jp/381104/documents/r3shokuhinloss.pdf

＊5 農林水産省「ａｆｆ　20年10月号 食品ロスの現状を知る」
https://www.maff.go.jp/j/pr/aff/2010/spe1_01.html

※参考文献のＵＲＬは、とくに記載のあるものを除いて、令和４（２０２２）年12月22日に参照した。それ以外のものについては、参照日を個別に記載した。次章以下についても同じ。

第2章

食料安全保障　二つの側面

第１節　「不足の事態」と「不測の事態」

「不足」とは足りないこと。十分でないこと。また、満足でないことをいう。

「不測」とは「思いがけないこと」「予測できないこと」ことをいう。

「事態」とは物事の状態であるので、食料に関して「不足の事態」とは、食料が足りず十分でない状態をいい、「不測の事態」とは食料供給に関して予測できなかった思いがけない状態が起こり、十分な食料が得られない状態に陥ることをいう。

「不測の事態」が起きなくても「不足の事態」が起きることもあるし、「不測の事態」により「不足の事態」に陥ることもあるが、本書では「不測の事態」が起きなくても食料の恒常的な「不足の事態」が生じることを「不足の事態」といい、「不測の事態」により食料「不足の事態」に陥ることを「不測の事態」という。

農業は人の食べ物を生産する営みであり、その生産量が人の数（人口）対して十分なものであれば基本的に「不足の事態」は生じないが、不十分な時には「不足の事態」が生じる。またそれまで十分であった生産量が自然災害や戦争等により減少するか、または外国からの輸入が海運事故や紛争、農産物価格の高騰などにより支障をきたした場合には、「不測の事態」が生じる。

食料は戦略物質であり、食料輸入大国の日本はこれまでも厳しい経験をしてきている。また食料を育てる生産投入資材も同様で、肥料の原料であるリン鉱石の産出量の72％（令和3（2021）年）は中国、モロッコ、アメリカ、ロシア、カリ鉱石のそれの80％はカナダ、ロシア、ベラルーシ、中国と偏在しており、産出国の意図により輸入が困難になることもある。（表2―1、表2―2参照）

表2―1　リン鉱石の産出量及び経済埋蔵量（単位：鉱石千t）

国名	産出量（2021）		経済埋蔵量	
		割合（%）		割合（%）
中国	85,000	39	3,200,000	5
モロッコ	38,000	17	50,000,000	70
米国	22,000	10	1,000,000	1
ロシア	14,000	6	600,000	1
ヨルダン	9,200	4	1,000,000	1
サウジアラビア	8,500	4	1,400,000	2
ブラジル	5,500	3	1,600,000	2
エジプト	5,000	2	2,800,000	4
ベトナム	4,700	2	30,000	0
その他	28,100	13	9,370,000	14
世界計	220,000	100	71,000,000	100

出典：農林水産省「肥料をめぐる情勢」令和4年4月

表2―2　カリ鉱石の産出量及び経済埋蔵量（単位：鉱石千t）

国名	産出量（2021）		経済埋蔵量	
		割合（%）		割合（%）
カナダ	14,000	30	4,500,000	41
ロシア	9,000	20	—	—
ベラルーシ	8,000	17	3,300,000	30
中国	6,000	13	—	—
ドイツ	2,300	5	—	—
イスラエル	2,300	5	—	—
ヨルダン	1,600	3	—	—
チリ	900	2	—	—
米国	480	1	970,000	9
その他	1,420	4	2,230,000	20
世界計	46,000	100	11,000,000	100

出典：農林水産省「肥料をめぐる情勢」令和4年4月

また、国際情勢が変動し、食料と生産投入資材を運ぶシーレーンが途絶することも考えられる。

さらに、国連の世界気象機関（WMO：World Meteorological Organization）の報告によると、昭和45（１９７０）年から令和元（２０１９）年の50年間で干ばつや洪水といった気象災害が5倍に増え、世界の多くの地域でより頻繁かつ深刻化すると指摘していることから、食料価格の高騰の頻度はこれからさらに高まるだろう。

第2節

「不足」は生じるのか　人口増への懸念

マルサスの命題は克服された

１７９８年に、イギリスの経済学者T・R・マルサスは有名な『人口論』で命題「人口は等比級数的に増大し、生存資材（食料等）は等差級数的のみに増える」を記した。

ＦＡＯは１９６１年から２０１０年の食料生産の伸びを図2-1のように整理している。

図2-1は、生産量の増加を農地面積拡大、灌漑面積拡大、肥料投入増加、それらで説明できない全要素生産性（品種改良や栽培技術改善などのイノベーション）向上で表している。

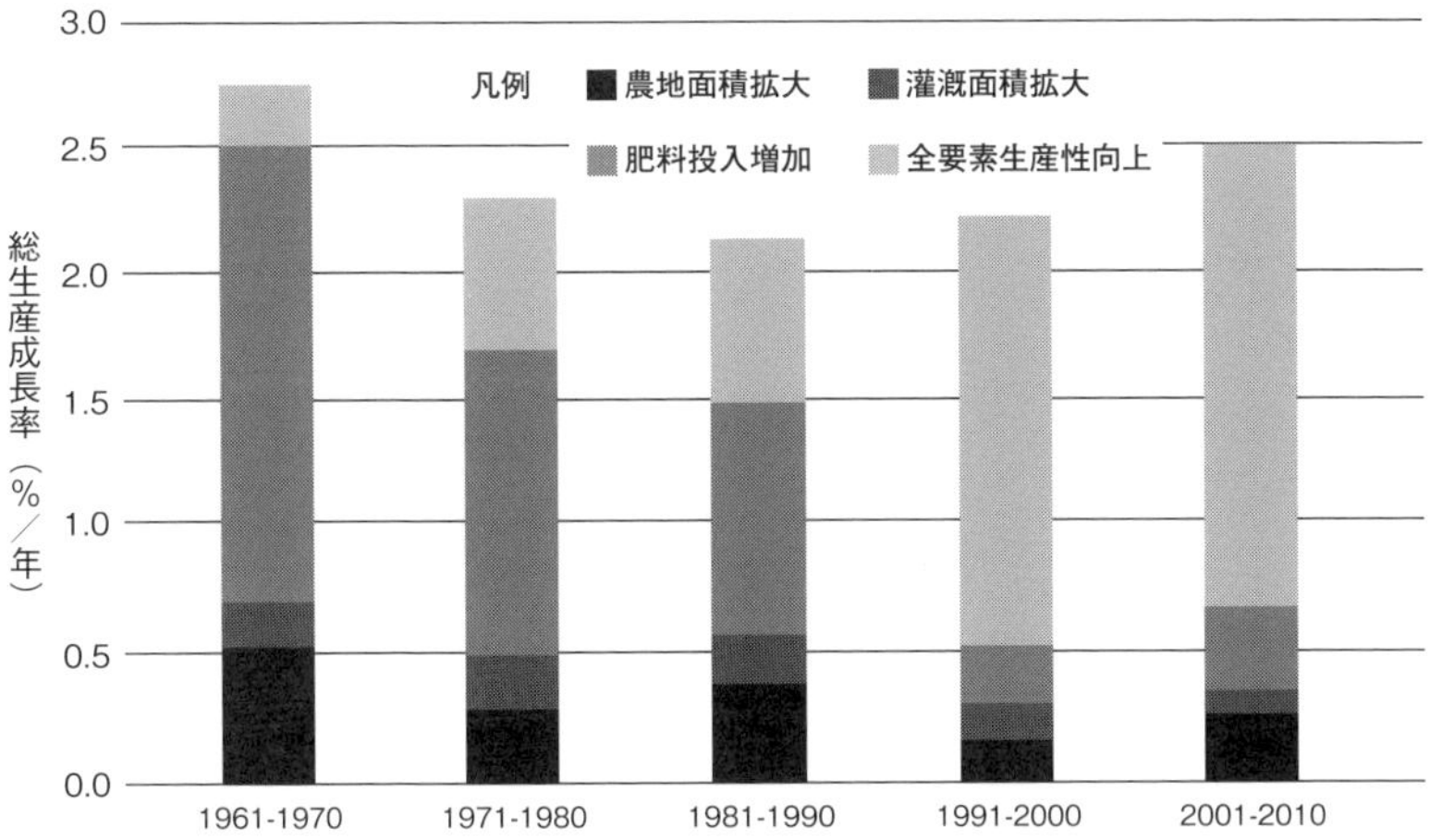

図 2─1　世界の農業における要素別生産性向上の推移（1961 ～ 2010）

出典：FAO.2021.The State of the World's Land and Water Resources for Food and Agriculture-Systems at breaking point. Synthesis report2021.Rome

人口は等比級数的に増えたが、食料生産も、

①化学肥料の発明（１９０９年、空中窒素から窒素肥料をつくる技術「ハーバー・ボッシュ法」）
②新たな品種の普及
③新たな農地の開拓
④産業革命以来の科学技術による輸送手段の発達
⑤かんがいの普及

などにより伸び、世界レベルではマルサスの命題は克服された。

「緑の革命」期に当たる１９６０年代には、化学肥料を大量に投入したことが生産量増加に最も貢献し、農地拡大や品種・栽培管理の効果は相対的に小さかった。これに対し、近年、とりわけ１９９０年代以降は、肥料投入の増加の貢献は相対的に小さくなっており、対照的に全要素生産性の役割が大きくなっている。

この間、異常気象等の影響による不作、また外交手段として輸出入が規制され、輸入国にとっては一時的に「不測」の事態が生じることはあったが、世界の食料に「不足」は生じておらず、国際的なフードセキュリティも個人・家計・地域レベルが主な対象となっている〔＊1〕。

２０５０年90数億人を養えるか

FAOの見通し

人口の伸びはやや緩和する傾向にあるものの、それでも２０５０年には90数億人に達すると見込まれている。果たして地球はこの増加する人口を養うことができるのだろうか。

国際連合ＦＡＯは、世界の食料、栄養不足等の諸問題の検討のため２０１２年に「World Agriculture Towards 2030/50」を公表している。

これは食料需要に合わせて供給を決め、併せて需給を規定する諸要因や国別・産品別の動向についての専門家による見解を積み重ね反映させたもので、生産は２０３０年まで１・３％、それ以降は０・７％（過去20年の２・３％よりはるかに低い）増加し、単収の増加、耕地利用率の向上、若干の耕地面積の増加で十分に対応可能であるとしている〔＊2〕。

なお、地球温暖化の加速による農業生産への影響は、低緯度地域を除けばその悪影響は必ずしも明確ではないとしている。

■日本の見通し

世界の食料需給見通しを行い、それを公表する国は極めて少ないが、多くの食料を輸入している日本は、食料安定供給に関するリスクへの的確な対応を図るため、同じく２０１２年に「２０５０年における世界の食料需給見通し」〔*3〕を策定している。

この見通しは、主要な農産物等の価格・需要・供給量・政策などを変数に組み込んだ数理モデルを使い、市場による需給調整を考慮したもので、その主な内容は、次のとおりである。

○気候変動の前提として、２０１０年から２０５０年にかけて世界の平均気温が２℃程度上昇するシナリオを採用した場合、世界の農地面積は０・73億ha拡大し、16・11億haとなる。オセアニア、中南米、アジアでは増加するが、北米、アフリカでは農地面積が減少するなど、農地の分布が変化する。

○人口増加と経済発展により２０５０年の世界の食料需要量は２０１０年比１・７倍となる。とくに、低所得国の伸びが大きい。

○食料需要の増加に対応して、穀物の生産量は２０１０年比１・７倍、油糧種子は１・６倍に増加する。農地の制約から各作物の収穫面積の伸びは小さく、生産量の増加は主に単収の増加により達成される。

○わが国の主要農作物の輸入先である北米、中南米、オセアニア、並びに欧州では、経済発展にともなう農業投資の増加により生産量、純輸出量がさらに増加する。

○一方、アフリカ、中東では、経済発展にともなう農業投資の増大により主要作物の生産量は増加するものの、人口増加等により需要量の増加が生産量の増加を上回り、純輸入量が大幅に増加する。アジアではコメの生産量、輸出量は増加するが、食生活の多様化等にともない小麦、大豆の需要量が増大し輸入量が増加する。
○多くの農産物を輸入するわが国としては、国内生産の増大を図りつつ、日ごろから世界の農作物の需給状況や見通し等の情報を幅広く収集する必要がある。また、アフリカなど食料輸入の増加が見通される開発途上の国々に対して、生産性向上に向けた技術支援を継続的に行い、世界の食料安全保障に貢献することが重要である。

見通しにおいて「不足」は生じない　その代償は何か

前記2つの見通しは需要=供給を前提としているので、もとより「不足」は生じない。また現実においてもおそらく世界的な食料「不足」は生じることはないと考えられている。「不足」が見通された場合、食料は確実に売れる商品であることから市場が敏感に反応し、生産増加対策が講じられるからである。

この場合、「不足」に対応して講じられる生産増加対策は、農地の拡大や化学肥料の多投等によりさらなる地球環境問題を引き起こすが、その時点では生産増加対策が優先されることは避けられないだろう。しかし、地球環境問題の一層の悪化はさらなる食料「不足」を生じさせる負の循環を導くことになることから、「不足」はないという見通しに安心できる者は少ないのではないか。第5章第1節で述べる四大文明の衰亡の歴史は、そのことを我々に教えてくれる。

コラム1

食料安全保障とは

国際連合食糧農業機関（FAO）では、食料安全保障を「すべての人が、いかなる時にも、活動的で健康的な生活に必要な食生活上のニーズと嗜好を満たすために、十分で安全かつ栄養ある食料を、物理的、社会的及び経済的にも入手可能である」状況と定義している。世界には飢餓人口が8億人以上ともいわれる。世界ではすべての人を養うに十分な食料が生産されているが、災害、紛争等で一時的に食料を入手できない突発的な飢餓と継続的に食料を入手できない慢性的な飢餓があり、前者には緊急食料支援、後者には自立の支援が必要とされている。

一方、わが国では「食料・農業・農村基本法」において、「将来にわたって、良質な食料が合理的な価格で安定的に供給」できるよう、「国内の農業生産の増大を図ることを基本とし、これと輸入及び備蓄を適切に組み合わせ、食料の安定的な供給を確保する…(中略)…また、凶作や輸入の途絶等の不測の事態が生じた場合にも、国民が最低限度必要とする食料の供給を確保」すると、国の基本姿勢を示している。

不思議なことに、世界も日本も、ともに近い将来世界の食料需給が逼迫することを想定していない。また、世界は飢餓を解消する方途に腐心しているが、日本は「凶作や輸入の途絶等の不測の事態が生じた場合にも、国民が最低限度必要とする食料の供給を確保」することに眼が奪われ、「将来にわたって、良質な食料が合理的な価格で安定的に供給」されることについての取り組みが全く行われていないようにみえる。

本書の思いは、「世界的な人口増加等による食料需要の増大、気候変動による生産減少など」による長期にわたる食料の「不足の事態」への対策をとりつつ、さらに「不測の事態」への備えを行う必要性を訴えることにある。

令和4（2022）年9月、岸田文雄首相は「食料安全保障の強化と農林水産業の持続可能な成長を推進していく方針の下、農林水産政策を大きく転換していく」と食料・農業・農村基本法の改正を見据え、その見直しを指示した。

食料安全保障についての本質的な議論が深まることを期待したい。

第3節　「不足の事態」は生じるのか　地球環境からの制約

プラネタリー・バウンダリーが食料増産を制約する

スウェーデンのヨハン・ロックストローム教授は地球環境システムの主なプロセスを9つに絞り込み、その7つについて定量化した限界値（プラネタリー・バウンダリー）[注1]を公表している。7つのプロセスは相互に関連するものであるが、そのうち4つ、気候変動、生物多様性の損失率、土地利用の変化、窒素及びリンによる汚染についてはすでにプラネタリー・バウンダリーを超えている（＊4）。

農業は生産、貯蔵・流通・消費・廃棄を通じてこの4つのプラネタリー・バウンダリーに密接に関連している。

気候変動を例にとろう。

現在多国間で進められている2050年温室効果ガス（GHG）ネット・ゼロ[注2]に関しては、農業は生産の場においてCO_2を吸収・貯留する（吸収源）が、生産するための資機材、生産され

注1　プラネタリー・バウンダリー（Planetary Boundary）：地球の機能を制御するさまざまなシステムが、人類の望まない状態に急変し得る生物化学物理学的限界を示すもので、たとえば、気候、水環境、生態系などが本来もつ回復力の限界を超えると、突然に転換点を超え、ある均衡状態から別の均衡状態に不可逆的に移行する限界値を表す。

た食料の貯蔵・流通・消費・廃棄において温室効果ガスを排出している（排出源）。また農業は、たとえば水田が産出するエネルギーの、生産に投入される石油エネルギーに対する比は、1955年には1・10％であったが1965年には0・59％に、1975年には0・40％に低下していると試算〈＊5〉されているように、それが産み出す食料の熱量よりも多くのエネルギーを消費する産業となっている。

一方、農業は地球温暖化にともない作付け体系、かんがいの仕組みの変更を強いられる。しかも、変更の程度は2050年GHGネット・ゼロの成否に左右される不安定なものである。

FAOは2011年の初刊に続き2021年に『食料と農業のための世界土地・水資源（SOLAW）』〈＊6〉を公表し、「人間活動が土地・土壌・水資源システムの生産能力限界にまで圧力をかけ、破綻ギリギリ(systems at breaking point)の状況にあると警鐘」〈＊7〉を鳴らしている。

プラネタリー・バウンダリーは増加する人口を養う食料増産を大きく制約する。この様子を図2−1の食料生産を支えてきた各項目について整理してみよう。

コラム2

地球温暖化について

気候変動、地球温暖化は、今日、人類の命運を左右する重要問題となっている。地質学で、今の時代を、人類が地球環境を動かす時代、人新世（アントロポセン）と呼ぶゆえんである。

注2　ネット・ゼロ：温室効果ガスあるいは二酸化炭素（CO_2）の排出量から吸収量と除去量を引いた差し引きをゼロにするという意味。CO_2ネット・ゼロとカーボンニュートラルは同じ意味である。

気候変動、地球温暖化は20世紀、とりわけ20世紀後半以降、大量の化石燃料使用による二酸化炭素排出などにより生じた気温上昇である。気温上昇により、台風・洪水、水不足・干ばつ、山火事、海水面上昇、氷河・永久凍土解凍などの異常事態が世界各地で生じている。今日、気候変動は気候危機、地球温暖化は地球過熱化とまで言われている。その影響による食料生産の減少、食料難の生じた地域やペルシャ湾岸など気温・湿度の上昇で住み難くなる地域からの難民発生、それにともなう地域紛争、高齢者や社会的弱者の健康問題、永久凍土融解や媒介生物の繁殖による新たな感染症の発生、太平洋諸島の水没などが危惧される現実にある。

この問題は、先進国の現役世代がその原因をつくったが、生命・食料・居住・衛生の被害を受けるのは途上国の貧困層の人々や社会の決定に参加できない子供たちという人権・人道上の問題でもある。

このまま事態が推移すれば、今世紀末には地球の気温は産業革命前に比べ3から4℃上昇すると見込まれ、上記のような事態が広汎に生起することが危惧されている。こうした破滅的状況を回避するため、気温上昇を1・5℃にとどめる（すでに1℃上昇している）ことが国際的に認知され、２０５０年までには二酸化炭素の排出・吸収をネット・ゼロとする目標が先進国で共有されている。わが国も、菅義偉首相時代にその方針を決定したが、先進国としてこの目標を達成しないと国際社会で孤立するおそれがある。温暖化阻止の措置を盛り込んだ国内外に対する対策が欧米諸国では検討され、実施されつつある。わが国でも同様な措置がとられることとなろう。

温暖化阻止実現には社会、経済の大きな変革が必要である。技術革新も必須であるが、各界が認識をともにし、覚悟を決めて取り組むことが必要となる。

農業は、温暖化による農業生産への直接的影響、そして、温暖化を止めるための対策（温室効果ガス排出ゼロ、石化燃料に依存しない社会への移行）のいずれの面からも影響を受ける。また、温暖化を因とする難民、国際紛争により生じる食料問題への対応も考えていかねばならない。

農地面積・耕地面積の拡大は困難になり、農地の劣化が進む

農地面積（永年採草放牧地と耕地の合計面積であり、ＦＡＯの統計（FAOSTAT）では約２対１の比である）の増減は、森林・干潟等から造成される拡張面積と住宅地・インフラ施設等に転用され、また砂漠化等により耕作放棄される改廃面積の差し引きである。

①農地面積の増減はプラネタリー・バウンダリーの土地利用の変化、気候変動、生物多様性の損失率に大きく関係する。

ＦＡＯの統計によると、世界の農地面積のうち耕地に転換可能な永年採草放牧地は２００１

年の３３８９百万haをピークに平均すると1年に11百万ha減少し、穀物生産等に供される耕地面積は平均するとわずか1年に約3百万haしか拡大していない。

今後、農地開発に適する森林・干潟等が少なくなり、また温室効果ガス吸収源として、さらには生物多様性維持のため森林の保全が求められることから、農地の拡大はさらに困難になるのではないか。

②優良農地が改廃される。

「世界都市人口予測２０１８年改訂版〔2018 Revision of World Urbanization Prospects〕」によれば、１９５０年には30%に過ぎなかった都市部人口は、２０１８年現在55%であり、これが２０５０年には68%に達すると予測されている〔＊8〕。

「土地利用の変化」は温室効果ガス等と同様にすでにプラネタリー・バウンダリーを超えているが、都市人口の増大にともない都市地域とこれを支えるインフラは農地の改廃につながる。しかも改廃される農地は日本の例にみるように生産性の高い優良農地である。

③土地が劣化している。

「世界砂漠化地図の第3版」によると、植物で被覆されている土地の生産力を植物地上部の純一次生産量[注3]の変化量で表すと、１９９９年から２０１３年に世界全体で約20・4%の土地で生産力が低下している〔＊9〕。

④塩類集積が進んでいる。

前述のＳＯＬＡＷは、世界の塩害地域が毎年耕地１・５百万haに及んでいると記している。

注3　純一次生産量：植物による光合成量から植物自身の呼吸量を差し引いた値。

1・5百万haは耕地の年増加量の2分の1である。
以上みるように農地の拡大は量においても質においても厳しい状況にある。

かんがい農地の拡大は厳しくなる

農地の生産性を高めるかんがいは1961年から2019年までに毎年3百万ha拡大してきたが、毎年の増加割合は近年富に低下している(FAOSTAT)。

これは、

①水資源が逼迫してきたことから、生活用水、工業用水等の他のセクターと競合してきている。

②地下水等水源が枯渇してきている。

ことによると思われる。

①については、「OECD 環境アウトルック 2050：行動を起こさないことの代償 概要版」(*10)は、「世界の水需要は、製造業(400%増)、熱電発電(140%増)、生活用水(130%増)の需要増により、55%程度増加することが見込まれ…(中略)…これらの競合する需要に対して、かんがい水を増やす余地はほとんどない。河川及び湖水の流水や生態系はリスクにさらされる。一部の地域では、地下水の枯渇は農業や都市水供給の最大の脅威になる可能性もある。大半の地域では、都市排水と農業による栄養素汚染[注4]が進み、富栄養化の増大と水生生物多様性の破壊をもたらす見込み」と記している。

注4　栄養素汚染：特定水域内の過剰な栄養素による汚染で、汚染の原因物質として代表的なものは窒素とリンである。

また、前述のＳＯＬＡＷも流域単位にみた農業に原因する水ストレスが、主要輸出国であるアメリカ、ブラジル、アルゼンチン、豪州で高いと図示している。

②については、地下水は地球が長い年月をかけて貯留してきた有限資源であり、涵養される以上に利用されると枯渇する。「National Geographic　2016年８月号」をはじめ、多くの報告、論評がある。曰く、「過去50年で地下水頼みの農地が急増」「持続不可能な灌漑は20％」。しかし、これの統合されたデータを探すことは困難であった。

地下水の枯渇を防ぐために、乾燥地域を中心に、少量の水で育つ新しい農作物の開発や、農地に大量の水を撒いて大半をそのまま蒸発させてしまうのではなく、根に近い土壌表面に直接ゆっくりかんがい水を与える点滴かんがいの普及が進められているが、これらにも水源の確保と水利施設の新設に膨大な期間と費用を要することは言うまでもない。

資材投入の縮減が求められる

近代農業は、化学肥料や化学合成農薬の利用により生産を高めてきたが、環境への負荷が大きく、窒素、リンによる汚染はすでにプラネタリー・バウンダリーを超えている。

世界の窒素肥料使用量についてみると、総量においては２０１７年に１０９百万ｔになった後、やや減少傾向にある。耕地面積当たりの使用量は、先発国日本等では毎年微減しているが、後発国では急増しほぼ先発国の水準に近づいている。大消費地の中国では急激に増加した後、近年やや減少しているものの、依然として先発国の水準より多くなっている(FAOSTAT)。

国際的には、化学肥料縮減の方向に動き始めている。

ＥＵは全農地に占める有機農業の面積の割合を8・5％（２０１９年）から、２０３０年までに25％に拡大する（「ファーム・ツー・フォーク（Ｆ２Ｆ）」戦略）こととしている。

化学肥料、農薬を使用しない有機農法への転換ではないが、中国は「２０２０年までに化学肥料使用量のゼロ増加を達成する法律」と「２０２０年までに農薬使用量のゼロ増加を達成する法律」を設けている（*11）。

日本でも令和3（２０２１）年5月に策定された「みどりの食料システム戦略」（食料・農林水産業の生産力向上と持続性の両立をイノベーションで実現するための戦略）では、輸入原料や化石燃料を原料とした化学肥料の使用量を30％低減し、耕地面積に占める有機農業の取組面積の割合を25％（１００万ha）に拡大することとしている（平成29（２０１７）年時点の有機農業の取組面積の割合はわずか０・５％に過ぎない）。

ＥＵと異なり日本は自給率を向上させる必要があり、かつ有機農業の取組実績が極めて小さい。そうした状況で、慣行農業に比べて作物収量が通常20％前後低い（*12）とされる有機農業を25％まで拡大して、本当に生産量を維持・向上させることができるのだろうか。

また、世界も、これから増加する人口を養えるだけの食料生産を確保できるのであろうか。

第4節 「不測の事態」は生じるのか

ロシアによるウクライナ侵攻の影響

2022年2月、ロシアがウクライナに侵攻、両国の戦争が勃発した。ウクライナにはNATO諸国など先進西欧諸国が肩入れし、ロシアに対する大規模な経済制裁とウクライナへの軍事・経済支援を実施している。一方、ロシアへの経済制裁には中国、インド、アジア・南米・アフリカの諸国が反対ないし中立の立場にある。今世紀始まって以来の世界危機といえよう。

この戦争の世界の食料事情に与える影響を考えてみたい。

ロシアは世界最大の小麦輸出国、ウクライナは5位の輸出国で、両国合わせると、世界の小麦の14%、大麦の19%、またトウモロコシの4%を供給し、合わせて世界の穀物輸出の3分の1以上を占めている（＊13）。

サブサハラ（サハラ砂漠以南）諸国は小麦供給の約85%を輸入に依存、うち3分の1をロシア・ウクライナ産が占める（＊14）。

ウクライナ、ロシア産の穀物は家畜の飼料となるため家畜飼料価格の上昇、それにより肉、乳製品の価格が上昇する〔＊15〕。

ロシアとその隣国のベラルーシは肥料原料（窒素、リン酸、カリ）の大輸出国でもある。農業ジャーナリストの山田優によると、「ロシアの２０２１年の輸出量は、硝酸アンモニウム４３０万ｔ（世界貿易に占める割合４％）、尿素７００万ｔ（18％）、アンモニア４４０万ｔ（30％）で、いずれも世界1位、塩化カリ１２００万ｔ（27％）は世界3位、リン安４００万ｔ（14％）は世界4位である。…（中略）…3月上旬、ロシア政府は「肥料輸出の一時的停止」を国内業界に求めた。…（中略）…化学肥料の手当てができなければ近代農業は減収を避けられない。…（中略）…ブラジルは肥料原料の83％を輸入に依存、その中でロシア由来が2割以上に及ぶ」〔＊16〕という。

日本の塩化カリの輸入元（令和２（２０２０）年7月～令和３（２０２１）年6月）はロシア16％、ベラルーシ10％（ロシア侵攻への当面の対応策としてカナダからの輸入（59％）をさらに増やす方針）、尿素はマレーシア47％、中国37％、リン酸アンモニウムは中国90％（令和3年10月から輸入停止状態にあるためモロッコから緊急調達している）となっており、輸入先が偏在（とりわけリン）している〔＊17〕。

「マーケットは今回の事態に反応、アメリカの小麦先物取引は急上昇、アメリカ、カナダなどの小麦輸出価格が高騰。現在の食品価格の上昇はアグリ・インフレーションといってもよい状況」〔＊18〕ともされる。

なお、石化燃料価格の高騰も諸物価高騰の大きな要因となっている。また、新型コロナによる影響もある。

これまでも穀物危機はあった

■１９８０年のアメリカの穀物禁輸

１９７９年、ソ連がアフガニスタンに侵攻。これに対応し、１９８０年1月、アメリカのカーター大統領は当時穀物輸入国であったソ連へのアメリカ穀物輸出を禁止し、モスクワ・オリンピックもボイコットした。これによりアメリカ農民は輸出先を失い大きな影響を受けた。一方、ソ連はアルゼンチンから穀物を輸入し、禁輸の影響は少なかった。その後、１９８１年にレーガン大統領が就任、同年4月24日に対ソ穀物禁輸措置が解除された。

食料を武器として使用、失敗したといえよう。

■２００８年の穀物危機

２００７から２００８年に穀物価格が約3倍に上昇した。

これは食用、飼料用のトウモロコシをガソリンの代用になるエタノールの原料に使用したことによる。さらに、その時期に干ばつ、石油価格の高騰が重なった。この状態は２０１１年、12年と続いたが、それ以降、穀物価格は劇的に下落、２０１６年には最安値を付けた。

「不測の事態」に備える

以上述べた状況はいずれも「不測の事態」である。世界の穀物貿易は、生産量の15％程度が取引される薄いマーケットで、価格が変動しやすく、購買力が支配する。

市場変動要因となる戦争、紛争、不作、突発的事件など「不測の事態」はこれからも生じるであろう。食料輸入国がこれに対応するためには、食料自給力を高めること、不測時の備えとして食料備蓄、食料配給ルールをもつこと、そして、輸入先を多角化、安定化することが基本である。日本は、人口に比し農地が少ないことから食料のある程度の輸入依存は避けがたい。しかし、今後の世界人口の増加による食料需要の増加、地球環境の劣化による食料生産への負の影響、日本の経済力の国際社会での相対的低下（市場購買力の相対的低下）などから、国内食料自給力を高めること（主要食料の海外依存度を低くすること）が必要であることは明らかであろう。

食料自給力を高めるためには、国土の食料生産力を最大限に発揮させなければならない。これを怠って安易に輸入に依存することは世界の食料不足を拡大することになり、食料不足の国際社会で糾弾されることにもなろう。

わが国にとって「不測の事態」に備えること、長期的視野に立った「不足の事態」に備えること、すなわち、食料安全保障の備えの構築が必要であり、食料自給力の回復がその鍵である。

不測に備えた意識改革が必要

イギリスの食料自給率はカロリーベースで70％（２００３年）であるが、第一次世界大戦直前の１９１４年では国内農業は食料の42％を供給するに過ぎなかった。しかし、第一次世界大戦、第二次世界大戦で厳しい食料不足を経験したイギリスは、その後一貫した自給率向上政策をとってきた。

イギリスの基本は、「自国の資源から（Food from Our Own Resources）」を重視した食料確保政策である。政府が「自国の食料の安定確保について」強い政策的意志をもち、「食料はわが国の資源から」、「食料はイギリスから（Food from Britain）」等の明確でわかりやすいキーワードを掲げ、国民にアピールしてきたという。

また、学校教育においても、中学教科書に第二次大戦中の食料難について詳しく記述し、第4章で紹介するように食料増産に総力戦で取り組んだ当時の実態を伝えているという。

残念ながら、わが国では戦後の食料難や緊急開拓の経緯について、学校で教わった人は非常に限られるのではないか。

元明治大学教授の北出俊昭は、わが国とイギリスの違いについて、以下のように指摘している〔＊19〕。

● 食料・農業・農村基本法では食料の安定確保は「国内の農業生産の増大を図ることを基本

とし、これに輸入と備蓄を組み合わせて行う」（第2条）と規定している。食料を安定的に供給するためには、国内生産、輸入、備蓄の3つが必要なことは当然であるが、問題は国内生産も他の2つと同じウエイトで並列的なことである。…（中略）…わが国の食料安定確保の理念とイギリス政府が強調した「Food from Britain」との間には大きな違いがあるといえる。

- 食料の安定確保について最も強く望まれるのは、政府自ら「Food from Japan」を基本方針とした強い政策的意図を示すこと。

まずは、不測の事態に備え、政府自らが意識改革を図り、その上で国民に広く食料安全保障の重要性を周知していく必要があろう。

非常時に備えた具体的対応策の策定と訓練の実施

食料危機は、予想しなかったときに生じる。危機に直面し、直ちに農地に作物を作付けしようとしても、それはそう簡単なことではない。

水田へのコメの作付けを考えてみる。

コメを栽培するには種籾が必要だ。また、栽培する人も、農作業用の機械も必要だ。そして何より栽培技術がなければ、十分な収穫は望めない。

したがって、食料安全保障を念頭に置くなら、常に水田にコメを作付けできる体制を整備しておかなければならない。

日本各地で、地震や大雨による洪水被害が頻発している今日、国民は災害に備えて防災訓練が必要なことを肌で感じている。食料危機に備えるためにも、同様に、平時からの訓練が大事である。具体的には、すべての水田に米の作付けができるわけではない現状を踏まえ、継続してコメを作付けしている水田では、数年に一度コメの作付けを止めて畑作物を栽培する、また逆に、畑作利用が主となっている水田では、数年に一度、必ずコメを作付けすることにしたらどうだろうか。

これにより、コメの栽培技術をあまねく維持することができるし、かんがい排水施設の維持や畑作利用による連作障害を防ぐことも可能となる。そして、なによりも緊急時の対応がスムーズに行えるようになる。

もちろん、これらの対策を行うのに、農業者には多大な負担がかかることになるので、国による助成が不可欠となるが、食料安全保障及び自給率を高めるための費用と思えば、むしろ安上がりの対策となるかもしれない。

コラム3

日本における窒素とリンの循環と収支

窒素（N）は、植物や動物のすべてのタンパク質の構成要素で、窒素がなければ生命は存在しない。農業生産にとっても、窒素は不可欠な元素である。

自然界では、植物は自然界の窒素循環のサイクルの中で、硝酸や亜硝酸、アンモニア（NH_3）を栄養素として利用するが、自然の状態より植物生産量を増大させるために、人為的な窒素肥料の投与が行われている。

化学肥料の登場による農業生産力向上効果は著しく、施肥の手軽さとコストの安さから化学肥料の消費量が増える一方で、有機質肥料の消費量は激減した。また、大量の化学肥料の投入は、自然界の窒素収支バランスを崩すことにもなり、さまざまな弊害をもたらしている。

これに加えて、日本は大量の食料と飼料を外国から輸入しており、以上を窒素収支の面からみると、施肥や輸入される食料や飼料に含まれる窒素の流入による国内の「農地を含む環境」への負荷が、農地等からの生産物を収穫することによる窒素搬出を大幅に上回り、毎年大量の窒素が「農地を含む環境」へ放出されている。また「農地を含む環境」に放出される窒素の内訳では、畜産業由来のものが最大となっており、その原因として輸入飼料の占める割合が大きい。「農地を含む環境」への窒素負荷を低減するためには、輸入飼料と化学肥料の使用量を低減することが必要である。

生命を形成する必須元素として、リン（P）も窒素と並ぶ重要な物質である。土壌中にリンが不足すると、根が伸びず、葉が小さく、光沢がなく、暗い青銅色となり、開花、結実が遅れる。このためにリン酸肥料が施される。

食物（農産物）の生産量を増やすためには、リンの施肥が欠かせないが、リン鉱石の産地は中国、モロッコ、西サハラなど特定の国・地域に偏っており、その埋蔵量にも限界がある。

日本はリン鉱石を全量海外からの輸入に依存しているが、輸入されたリンの大部分が廃棄物となり、または土壌に蓄積あるいは水域への流出（水域へ流出したリンは、窒素と同じく環境汚染の原因となる）し、資源としての有用性が失われている。

農業分野においては、肥料リンの利用効率を高めるとともに、過剰なリン肥料の施用を避ける必要がある。

限りある資源であるリンを有効に活用し、食料生産量を末永く維持していくためには、リン鉱石から生産された化学肥料の消費量をできる限り削減するとともに、食品や飼料の残渣、下水や廃棄物、家畜ふん尿を堆肥として活用し、リンの循環の輪を大きくしていくことが必要である。

【参考文献】

＊1 平澤明彦「日本とスイスの食料安全保障政策」農林中金総合研究所記者等懇談会　２０２０年９月16日
https://www.nochuri.co.jp/genba/pdf/otr20201013-1.pdf

＊2 坪田邦夫「国際機関等による世界食料需給見通しの一考察（研究ノート１）」日本農業研究所研究報告29号　２０１６年）
http://www.nohken.or.jp/29-3tubota095-125.pdf

＊3　農林水産省「２０５０年における世界の食料需給見通し」農林水産省大臣官房政策課食料安全保障室　令和元年９月
https://www.maff.go.jp/j/zyukyu/jki/j_zyukyu_mitosi/attach/pdf/index-12.pdf

＊4　石坂匡身・大串和紀・中道宏『人新世の地球環境と農業』農文協　２０２０年

＊5　宇田川武俊『稲作におけるエネルギー消費の実態とその対策』農業と経済　１９８０年2月

＊6　FAO. 2021. The State of the World's Land and Water Resources for Food and Agriculture – Systems at breaking point（SOLAW 2021). Synthesis report 2021. Rome.
https://www.fao.org/documents/card/en/c/cb7654en

＊7　JIRCAS「４４４．食料農業のための土地と水資源―主要なメッセージ」
https://www.jircas.go.jp/ja/program/proc/blog/20211221

＊8　JIRCAS「国際連合『世界都市人口予測・２０１８年改訂版［United Nations (2018)．2018 Revision of World Urbanization Prospects.］』概要」
https://www.jircas.go.jp/ja/program/program_d/blog/20180523

＊9　「西尾道徳の環境保全型農業レポート」№.３４２
https://lib.ruralnet.or.jp/nisio/?p=3892

＊10　「ＯＥＣＤ環境アウトルック２０５０：行動を起こさないことの代償　概要版」
https://www.oecd.org/env/indicators-modelling-outlooks/49884270.pdf

＊11 「西尾道徳の環境保全型農業レポート」No.３７０
https://lib.ruralnet.or.jp/nisio/?p=4635

＊12 「西尾道徳の環境保全型農業レポート」No.２１１
https://lib.ruralnet.or.jp/nisio/?p=2130

＊13 「ロシア―ウクライナ紛争下での世界の食料安全保障の新しいシナリオ」国際連合食糧農業機関（ＦＡＯ）駐日連絡事務所のプレスリリース（prtimes.jp）

＊14 時事ドットコムニュース「食料不足、世界が懸念　ロシア侵攻で価格高騰」
https://www.jiji.com/jc/article?k=2022041600223&g=int

＊15 「ロシアとウクライナ戦争で明らかになった食料安全保障の脆弱性（Food Made Good Japan）」
https://foodmadegood.jp/ukraine-war-reveals-fragile-food-security/

＊16 「【ウクライナ危機！食料安全保障とこの国のかたち】世界の農業の混乱は長引く」農業ジャーナリスト・山田優「JAcom 農業協同組合新聞」
https://www.jacom.or.jp/nousei/rensai/2022/03/220308-57366.php

＊17 農林水産省「肥料をめぐる情勢」（２０２２年４月）
https://www.maff.go.jp/j/seisan/sien/sizai/s_hiryo/attach/pdf/index-7.pdf

＊18 「今こそ減肥の大号令と自給飼料の大増産を（１）東山寛・北海道大学農学部教授【ウクライナ危機】」「JAcom 農業協同組合新聞」
https://www.jacom.or.jp/nousei/rensai/2022/04/220404-57975.php

*19 北出俊昭「食料自給率を向上させたイギリス（上）」「JAcom 農業協同組合新聞」
https://www.jacom.or.jp/archive03/closeup/foodbiz/2008/foodbiz080613-1369.html

第3章

日本は不足に備えているか

第1節 危うい日本の食料事情

自給率目標の未達成が続く

国は、平成11（1999）年に食料・農業・農村基本法を制定した。その第二条（食料の安定供給の確保）で、以下のように規定している

- 食料は、人間の生命の維持に欠くことができないものであり、かつ、健康で充実した生活の基礎として重要なものであることにかんがみ、将来にわたって、良質な食料が合理的な価格で安定的に供給されなければならない。
- 国民に対する食料の安定的な供給については、世界の食料の需給及び貿易が不安定な要素を有していることにかんがみ、国内の農業生産の増大を図ることを基本とし、これと輸入及び備蓄とを適切に組み合わせて行われなければならない。
- 食料の供給は、農業の生産性の向上を促進しつつ、農業と食品産業の健全な発展を総合的に図ることを通じ、高度化し、かつ、多様化する国民の需要に即して行われなければならない。

・国民が最低限度必要とする食料は、凶作、輸入の途絶等の不測の要因により国内における需給が相当の期間著しくひっ迫し、又はひっ迫するおそれがある場合においても、国民生活の安定及び国民経済の円滑な運営に著しい支障を生じないよう、供給の確保が図られなければならない。

また、第十五条第2項で、「政府は、食料、農業及び農村に関する施策の総合的かつ計画的な推進を図るため、食料・農業・農村基本計画（以下「基本計画」という。）を定めなければならない」とし、基本計画では、食料自給率の目標を定めることとされている。さらに同条第3項で「食料自給率の目標は、その向上を図ることを旨とし、国内の農業生産及び食料消費に関する指針として、農業者その他の関係者が取り組むべき課題を明らかにして定める」こととされている。

なお、この基本法では、「世界の食料の需給及び貿易が不安定な要素を有していることにかんがみ、国内の農業生産の増大を図ることを基本」と考えており、本書で論じているような「将来、世界全体として食料が不足するおそれ」は全く想定していない。何とも楽観的な姿勢である。

表3−1は、過去5回策定された食料・農業・農村基本計画における食料自給率の目標とその実績を表したものである。

この表から明らかなように、国は自給率向上に努める姿勢こそは見せてはいたものの、その実効は全く上がらず、逆に自給率は低下する一方である。しかも、この状況は一向に改善される見込みもないようにみえる。果たして国は本気で、国民に「将来にわたって、良質な食料が合理的な価格で安定的に供給」することを望み、また、そのために「国内の農業生産の増大を図ること

表 3‒1　総合食料自給率目標と実績

基本計画策定年			目標と実績				
策定年	同年の自給率		目標年度	カロリーベース		生産額ベース	
	カロリーベース	生産額ベース		目標	実績	目標	実績
H12	40%	71%	H22	45%	39%	74%	70%
H17	40%	70%	H27	45%	39%	76%	66%
H22	39%	70%	H32(R2)	50%	37%	70%	67%
H27	39%	66%	H37(R7)	45%		73%	
R2	37%	67%	R12	45%		75%	
参考：R2策定時の基準年（H30）					37%		66%

出典：農林水産省の資料を基に作成

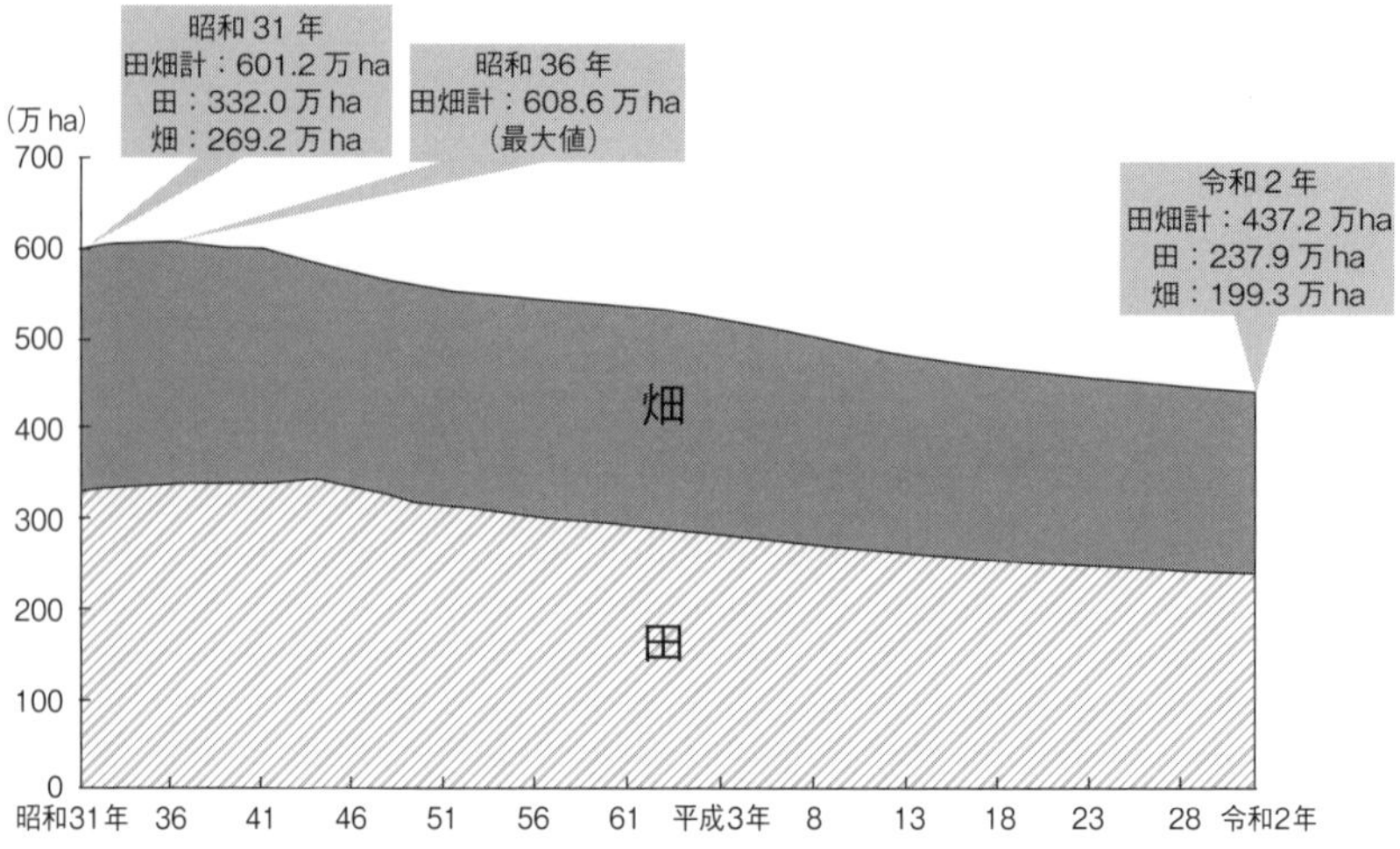

図 3‒1　田畑別耕地面積の推移

出典：農林水産省「令和 2 年耕地面積（7 月 15 日現在）」

を基本」と考えているのだろうか。

近年、地球温暖化の進行にともない世界各地で災害が頻発するようになり、また新型コロナなどの予期せぬパンデミックやロシアのウクライナ侵攻によりグローバルな物流に支障が生じているが、国は「凶作、輸入の途絶等の不測の要因により国内における需給が相当の期間著しく逼迫し、又はひっ迫するおそれがある場合においても、国民生活の安定及び国民経済の円滑な運営に著しい支障を生じないよう、供給の確保」をすることに、本気で取り組んでいるのだろうか。

日本農業の生産基盤（農地）崩壊に歯止めがかからない

先に述べたように、戦後、食料難にあえいだ日本は、生産の基盤となる農地を増やすため農地の開発に取り組み、また、かんがい施設の整備、品種改良等々にも懸命に取り組んだ。しかし、農地面積は昭和36（1961）年の609万haをピークに毎年減少している。（図3―1参照（＊1））

これは、経済発展にともない、農地が住宅や商業用地、工業用地等に転用され、さらに近年では農地の荒廃が続いていることが大きな原因だが、自給率と同様、この農地面積の減少を防ぐための有効な政策もとられていない。

表3―2は、食料・農業・農村基本計画における自給率目標の根拠となった農地面積及び延べ作付面積等の目標と実績を表したものである。

この表からうかがえることは、農地面積を維持したり、あるいは増加させることが、そもそも

表 3–2　食料・農業・農村基本計画における農地面積の目標と実績

基本計画策定年	基準年次と農地面積等				目標年度と農地面積等						
						目標			実績		
	年度	農地面積（万 ha）	延べ作付面積（万 ha）	耕地利用率（%）	目標年度	農地面積（万 ha）	延べ作付面積（万 ha）	耕地利用率（%）	農地面積（万 ha）	延べ作付面積（万 ha）	耕地利用率（%）
H12（2000）	H9	495	472	95	H22	470	495	105	459.3	423.3	92.2
H17（2005）	H15	474	445	94	H27	450	471	105	449.6	412.7	91.8
H22（2010）	H20	463	426	92	H32	461	495	108	437.2	399.1	91.3
H27（2015）	H25	454	417	92	H37	440	443	101			
R2（2020）	H30	442	404.8	92	R12	414	431	104			
（参考）みどりの食料システム戦略					2050年	400					

出典：農林水産省

注１：農地面積＝農水省の面積調査における「耕地面積」である。

注２：目標年次の農地面積等は、食料自給率目標算定に使用された数値である。

基本計画の目標として意識されていないという事実である。農地面積が減少傾向にあることを前提に、耕地利用率を上げるという小手先の方法で自給率を上げる目標を立てていたと言われても仕方ないだろう（しかし、耕地利用率向上の実績は全く上がっていない）。このように農地の維持・拡大には取り組まず、農地面積が減少することを暗黙の前提としてきたことには、正直なところ驚かざるを得ない。

　農地面積の減少が止まらない、止めようとしないのに、どうして自給率の向上を図ることができるのだろうか。

　なお、令和3（２０２１）年に策定された農林水産省の「みどりの食料システム戦略」では、令和32（２０５０）年に「耕地面積に占める有機農業の取組面積の割合を25％（１００万ha）まで拡大する」ことを目玉としているが、この場合でも目標耕地面積は400万haと、現状よりもさらに減少することを前提としている。

日本では、いつから農地面積の減少が当たり前と受け止められるようになったのか。いつから農地面積の維持・拡大を図ることがタブー視されるようになってしまったのだろうか。

いつまで飽食が続けられるか、食料事情の危うさに気付かない日本

今、世界の環境問題で、一番注目を集めているのは、地球温暖化をめぐる状況である。気候変動に関する政府間パネル（IPCC：Intergovernmental Panel on Climate Change）の報告によると、地球温暖化ガスの排出をなくし、カーボンニュートラルな社会を構築しないと、大きな気候変動を引き起こし、人類の生存にも影響を与えるおそれがあるとされている。このため世界の多くの国が2050年にはCO_2の排出をゼロにする目標を打ち出しており、わが国でも、令和2（2020）年10月に、当時の菅義偉首相が「わが国は2050年までに、温室効果ガスの排出を全体としてゼロにする、すなわち50年カーボンニュートラル、脱炭素社会の実現を目指す」と宣言している。

今後の日本の農業生産は、当然地球温暖化の影響を受けるし、生産方法もカーボンニュートラルな方向に転換していく必要があり、生産量にも大きな制約がかかるだろう。

世界でも、急な洪水や干ばつで農作物が収穫できなくなるなど、気候変動による自然災害が多

発し、すでに食料生産に悪影響を与えている。

世界情勢も不安定さを増している。一度紛争が起これば、食料は生産できなくなってしまう。たとえ紛争地以外の場所で生産できたとしても、紛争が食料の輸送を妨げ、飢えに苦しむ人たちに食料を届けられない。その結果、食料確保に不安を感じるようになり、トラブルが多発。さらなる紛争の引き金になることもあり得る。

かつて「日出ずる国、日本」といわれた日本の経済力の低下傾向も著しい。第2節で述べるように、わが国は、いつまで飽食が続けられるのだろうか。食料事情の危うさに気付かない日本の姿は異様にさえみえる。

海外から食料を輸入できる体力がいつまであるのだろうか。

世界の食料事情が厳しくなると想定される中、自国の農業を大切にしない国は、世界から相手にされないのではないか。

先進国で最も低い日本の食料自給率

いかなる場合にも国民の食料を確保することは、どの国にとっても国政上の最重要事項である。しかし、農業生産力、輸入依存度合いかんにより、その対応は異なる。

世界主要先進諸国のカロリーベースの食料自給率（平成25（２０１３）年）を自給率の高い順からみると、カナダ２６４％、オーストラリア２２３％、アメリカ１３０％、フランス１２７

（125）%、ドイツ95（86）%、イギリス63（65）%、イタリア60（60）%、スイス50（51）%、日本38（37）%となる（カッコ内は平成30（2018）年の数字）。加、豪、米、仏、独は農業大国であり、災害などで国内生産が激減しない限り国難に陥ることはない。

　これらの国に比べ、日本は自給率が格段に低く、食料の多くを輸入に依存しており、輸入困難、途絶の事態が生じれば直ちに国難に直面する。日本にとって、食料の安全保障策を整える必要があることは明らかであろう。

日本の食料輸入依存の現状

　食料自給率にはカロリーベースの他にも、いくつかの計算がある。

・カロリーベース自給率（37%、令和2（2020）年）＝1人当たり国産供給熱量（840kcal）／1人当たり供給熱量（2269kcal）　（注：令和12（2030）年度目標は45%）

・生産額ベース自給率（67%、令和2年）＝食料の国内生産額（10・4兆円）／食料の国内消費向額（15・4兆円）　（注：令和12年度目標は75%）

・右の計算では、飼料が国産の畜産物のみを国産（自給）としているが、輸入飼料による畜産物を含めた食料国産率という計算もある。食料国産率では、カロリーベースが46%、生産額ベースが71%とされる（令和2年度）。

•このように計算法はいくつかあり、計算結果はそれぞれ異なるが、カロリーベースの国際比較では日本が先進諸国に比べて格段に低いことは事実である。

わが国は、コメは自給しているがその他の食用、飼料用穀物はほとんど輸入に依存している。

•小麦　国内需要６３５万ｔ、輸入５３１万ｔ、輸入依存度84%。
　輸入先　アメリカ47%、カナダ34%、オーストラリア17%。

•トウモロコシ　国内需要１６２３万ｔ、全量輸入依存。
　輸入先　アメリカ69%、ブラジル29%。

•大豆　国内需要３５８万ｔ、輸入３３６万ｔ、輸入依存度94%。
　輸入先　アメリカ74%、ブラジル16%、カナダ10%（以上いずれも令和元（２０１９）年の計数）。

第2節　日本の経済力の問題

日本経済のこれまで

第二次世界大戦に敗北、荒廃した国土から再出発した日本は、戦争放棄を掲げ、国防はアメリカに依存、経済復興に専心し、昭和30年代、40年代の高度成長を実現した。そして昭和末から平成初にかけて「Japan as No.1」といわれるまでに経済力をつけ、アメリカに次ぐ経済大国となった。現在では、GDP規模は中国に追い抜かれたが、それでも世界№3の地位にある。

日本の食料自給率は37%と低い水準にあり、多くの食料品を外国からの輸入に依存している。それが可能なのは、大きな経済力、輸入できる購買力をもっていることによる。

日本経済の現状

日本経済の状況を振り返ると、平成後半には成長力を失い、GDPはほとんど増加しない状況にある。

リーマンショック後の平成23（２０１１）年から新型コロナ蔓延直前の令和元（２０１９）年までの各年の経済成長率平均は０・92％となっている。

平成以降の名目ＧＤＰの数字を示せば表３―３のとおりである。

諸外国との経済成長比較

ＧＤＰの大きな諸国の最近の成長ぶりを比較すると表３―４のとおりである。

日本のＧＤＰは世界２位から３位に下がった。アメリカ、中国、インド、韓国の伸びが大きく、西欧先進諸国は概ね低迷している。

表 3–3　名目 GDP の推移

年	名目 GDP（兆円）
1989 年（平成元年）	430
1990 年	462
1995 年	521
2000 年	535
2005 年	532
2010 年（リーマンショックによる減少）	505
2015 年	538
2020 年（令和 2 年）	538
2021 年	541

出典：世界経済のネタ帳 (ecodb.net) から作成

表 3–4　諸外国との経済成長比較

(単位:兆ドル)

国名	2018 年	2008 年
アメリカ	20.5	14.7
中国	13.8	4.5
日本	4.9	5.0
ドイツ	3.9	3.7
イギリス	2.8	2.9
フランス	2.7	2.9
インド	2.7	1.1
イタリア	2.0	2.3
ブラジル	1.8	1.6
カナダ	1.7	1.5
ロシア	1.6	1.6
韓国	1.6	1
世界	86.2	63.6

出典：世界経済のネタ帳 (ecodb.net) から作成

今後の日本経済の見通し

日本の今後の成長について、三菱ＵＦＪリサーチ＆コンサルティングは、人口減少、需要減、人手不足の深刻化などの要因はあるが生産性上昇努力もあり、２０２１年から２０２５年：年率０・７％、２０２６年から２０３０年：年率０・７％とみている（２０１９年４月）。

ニッセイ基礎研究所は、２０２０年から２０３０年の年成長率は１％程度（２０２０年の落ち込んだところからでは平均１・５％）とみている（２０２０年10月）。

日本の最近の成長実績は平均で年率１％弱である。

上記の見通しより長い２０５０年までを考えると、今後、人口減少が見込まれる中で一定の経済成長水準を維持することも容易なことではないと思われる。

高い経済成長を実現するためには、爆発力あるイノベーションが必要である。

温暖化防止のための二酸化炭素の大幅削減、化石燃料に依存しない産業・生産・生活技術、医療技術、老人介護システム、核を封じ込める軍事技術、宇宙開発など現状と次元を異にするイノベーションが生起すれば高成長も可能であろうが、それをあらかじめ数値化することはできないだろう。

日本の経済力、輸入購買者としての力の相対的低下

これからを長期的に考えれば、成長力が日本より高い中国との経済規模格差は拡大し、インドも日本に迫ってくるであろう。

中国は少子高齢化により成長は鈍化してきているが、日本よりは高い成長が当分続き、規模格差は開くと考えられる。アメリカとの差も開くであろう。

日本経済の構造的な改革、立ち直りがないと、円の国際的実力、円為替レートの趨勢的な低落（円安）も起こり得る（金利差による円安が現実に生じている）。

日本は、現在のところ、経済力、購買力を有することで食料輸出国にとって優良な買手であるが、中国が最大の購買者として輸入市場で圧倒的な力をもつことが予想され、その他の急成長の国もあり、それらに押されて、日本の購買者としての相対的優位性は落ちていくと考えられる。

今後、わが国にとって経済力の発展、強化に努めることは重要であるが、国際輸入市場における日本の立場の相対的劣化が懸念される。この観点からも、多くを輸入に依存する日本の食料需給の改善、食料自給率を高めていくことが必要ではなかろうか。

第3節　日本の取り組み

農林水産省の食料自給力試算

農林水産省では、「輸入食料の大幅な減少といった不測の事態が発生した場合には、国内において最大限の食料供給を確保する必要があることから、わが国農林水産業が有する食料の潜在生産能力を把握しておく」ために「食料自給力指数」を算定し、公表している（＊2）。

試算の具体的な方法は、

①現況の農地に現在の食生活に比較的近いコメ・小麦中心の作付けをした場合の供給可能熱量（kcal／人・日）

②栄養バランスを一定程度考えて、コメ・麦を中心に熱量効率を最大化して作付けした場合（再生利用可能な荒廃農地においても作付けする場合）の供給可能熱量

③栄養バランスを一定程度考慮して、いも類を中心に熱量効率を最大化して作付けした場合（再生利用可能な荒廃農地においても作付けする場合）の供給可能熱量

平成30（2018）年度の試算結果では、当該年度の供給熱量2443kcal／人・日、推定エネルギー必要量2169kcal／人・日に対し、

①912kcal／人・日

②1727kcal／人・日

③2586kcal／人・日（但し労働充足率を考慮すると2377kcal／人・日まで低下）

となっており、①、②では推定熱量必要量を賄うことができないし、③でも何とか推定熱量必要量は賄えても、現在の供給熱量は賄えないという。

つまり、不測の事態で食料が不足する事態が起きれば、コメ・麦中心の作付けに変更しても推定エネルギー必要量を賄うことができず、いも中心の作付けに変えて、何とか推定熱量必要量

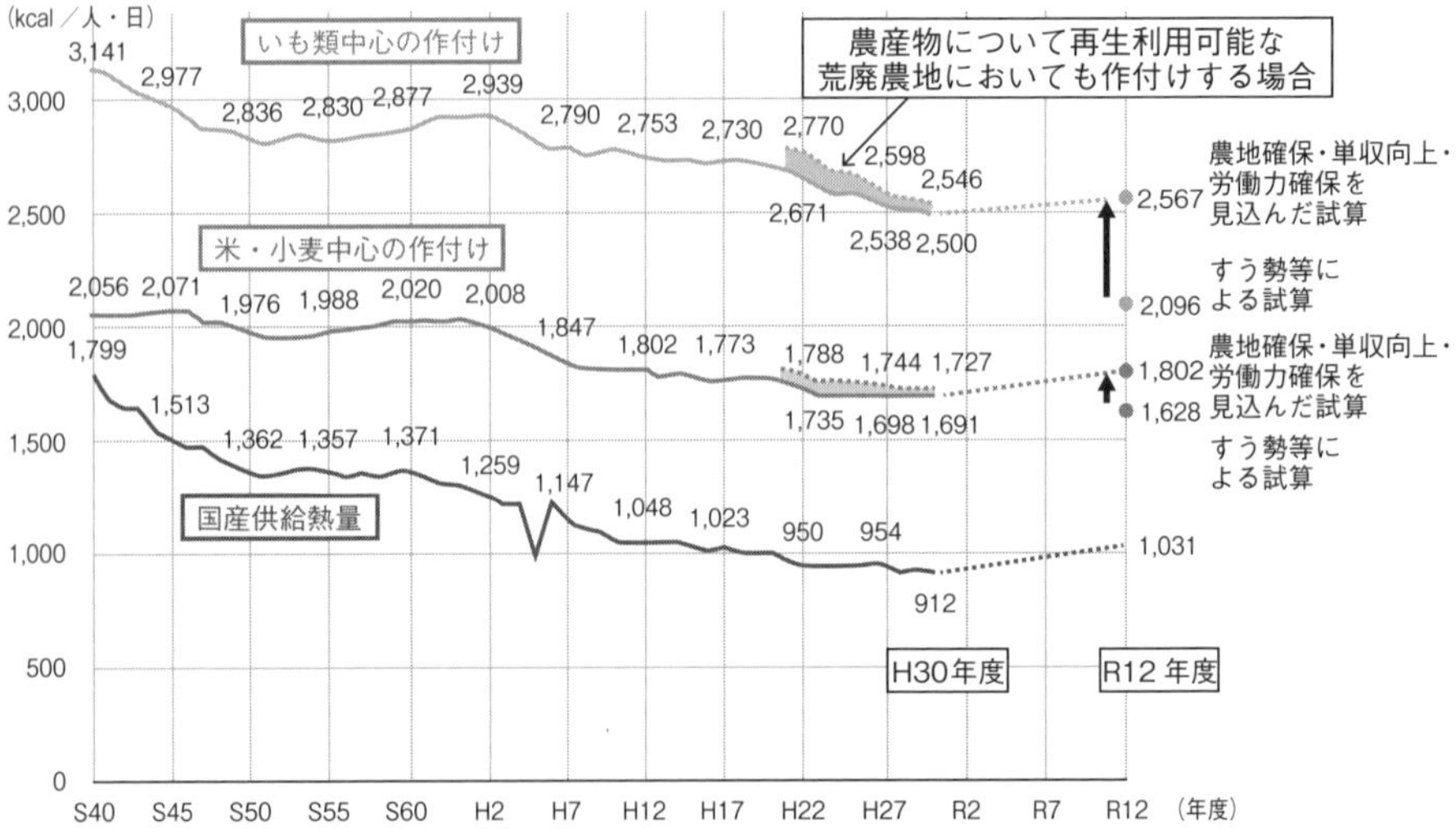

図3-2　食料自給率の推移

出典：農林水産省「令和2年食料自給率・食料自給力指標について」

を確保することができるというものだ。

ところで、この試算はあくまで短期間の対応を前提としたもので、長期間にわたって食料が不足する事態に備えたものにはならないだろう。国民は、いも中心の食生活が長期間にわたって継続する（常態になる）ことに耐えられないからだ。

食料自給力も食料自給率と同様に年々低下しており、改善の兆しは全くみえない。

農林水産省の不測時の食料安全保障マニュアル

農林水産省では、「緊急事態食料安全保障指針」を策定している（＊3）。

計画では不測時の事態の深刻度を

レベル０：事態の推移いかんによっては、特定の品目の需給が逼迫することにより、食生活に重大な影響が生じる可能性がある場合（レベル１の状態に発展するおそれのある場合）

レベル１：国民が最低限度必要とする熱量の供給は可能と見込まれるものの、特定の品目の需給が逼迫することにより、食生活に重大な影響が生じるおそれがある場合（特定の品目の供給が、平時の供給を2割以上下回ると予測される場合を目安）

レベル２：国民が生命の維持に最低限度必要な食料さえも入手できなくなるおそれのある場合（１人１日当たり供給熱量が２０００kcalを下回ると予測される場合を目安）

の3つに分けて、それぞれのレベルに応じて取り組む内容を定めている。

対策の基本的考え方は、

レベル0：輸入の減少等により食料の供給が減少する徴候が現れ、事態の推移いかんによっては、需給が逼迫することにより、国民の食生活に重大な影響が生じる可能性があるため、①不測の要因に即応した情報の収集・分析・提供、②備蓄の活用や輸入の確保等による当面の食料供給の確保、③価格動向等の調査・監視及び関係事業者に対する行政指導等の対策を行う。

レベル1：レベル0の対策をさらに強力に推進するとともに、必要に応じ当該品目の需給・価格対策に関し、より強力な措置を実施する。なお、レベル1は食生活に重大な影響が生じるおそれがあるものの、レベル2のように国民が最低限度必要とする供給熱量の確保が困難となるおそれのある状況ではないため、政府による統制経済的対策を講ずるのではなく、あくまで市場メカニズムを基本としつつ、規制措置を講ずる場合にあっても必要最小限の措置とする。

レベル2：国民の理解と協力の下に、生産から流通、消費に至る広範な分野にわたり法律に基づく規制等を強化しつつ、熱量確保を優先した農業生産への転換を実施することにより、国民が最低限度必要とする熱量を確保するとともに、国民に食料を公平に配分するため割当て・配給及び物価統制を実施する。

としている。

このうち、農地等の生産基盤に関わるものは、レベル2で、

①必要とする供給熱量を確保するため、非食用作物等から熱量効率の高い作物への生産転換を内容とする食料確保計画を策定し、実施する。

②具体的には、水稲は水田の表作不作付地を中心に増産、小麦は裏作可能地で増産、大豆は水田の表作を中心に増産、飼料穀物は国内での増産は困難であることから代替性のある飼料作物を可能な範囲内で増産する。

③既存農地だけで熱量効率の高い作物への生産転換を行っても必要な熱量の確保が困難な場合には、既存農地以外の土地においても食料生産を行う。

としている。

緊急事態には速やかな食料確保計画の実施が望まれるが、主要穀物は1年に1回しか収穫できず、用排水施設の整備も必要となる場合があるので、簡単に生産の転換を行うことはできないだろう。また、農地の拡大や既存農地以外の土地の農地利用も一朝一夕に実現できるものではない。そうであれば、レベル2の対応は、なかなか困難をともなうのではなかろうか。

また、「既存農地以外の土地において食料生産を行う」ことについて考えてみよう。

既存農地以外の土地として河川敷、公園・緑地、学校及びゴルフ場が想定されているようであるが、まずそれぞれの存在位置、面積、所有者等の把握が必要だ。また、不測の事態の深刻度に応じて、それぞれどれくらいの土地をどのような整備内容とスピード感をもって農地に転換するのか、整備費用の負担や地権者等への補償はどうするのか、関連法令や条例等の制定はどうする

のか、実施体制の整備はどうすべきか等々、調査・研究・検討を行っておくべきことが多くある。さらに、農地は用意できても誰が生産を担うのかも問題だ。

「不足の事態」に備えることは「不測の事態」への備えにもつながる

前記の食料自給力指標も不測時の食料安全保障マニュアルも、「輸入食料の大幅な減少といった不測の事態が発生した場合」「国民が生命の維持に最低限度必要な食料さえも入手できなくなるおそれのある場合」という「不測の事態」に備えたものであり、世界が食料「不足」の状態での「不測の事態」に備えたものではないことを、ここで改めて指摘しておきたい。

第2章で指摘したように、今、世界の環境問題で一番注目を集めているのは、地球温暖化をいかに食い止めるかということだ。

日本政府のイニシアティブで設立されている公益財団法人 地球環境戦略研究機関（ＩＧＥＳ）が「ネット・ゼロという世界　２０５０年日本（試案）」（*4）という報告書を令和２（２０２０）年6月にだしている。

この報告書では、２０５０年にネット・ゼロ社会を実現するためには今までの延長線上にない広範な社会変革シナリオが必要で、大きな社会変革をともなわず現状からの技術革新に頼るシナリオでは実現困難としている。

食料問題はエネルギー確保の問題と密接に関連している。太陽エネルギーのさらなる効率的な利用、風力・水力・波力エネルギーの利用、バイオマスエネルギーの利用等が確立されれば、「ネット・ゼロ社会」のあり方も、世界の食料問題も大きく変わってくるのかもしれないが、世界中で食料不足が長期間にわたって継続するという「不足の事態」を前提として、さらに「不測の事態」に備えることが必要ではなかろうか。

もちろん、さらなる農地面積の増加や技術革新等の展望が全くないわけではない。しかし、農地面積の増加は森林資源の減少、干潟の減少等の環境改変と表裏一体のところがあるし、単収の増加では、品種改良における遺伝子組み換えをどうみるか、肥料・農薬の製造エネルギーと安全使用の問題が残る。農業の機械化、装置化はエネルギー消費の増大をもたらすおそれがある。「不足の事態」に備えることは「不測の事態」にも備えることになる。それが国政の最重要課題となる時代となっていると考える。

なお、「不足」が大きいほど、「不測」の事態が発生する頻度は高まり、対応も困難になる。また、「不足」の状況に応じて「不測」への対応も行われることになるので、常日ごろから「不足」への対応を充実させておく必要がある。

第4節 イギリス、スイス、ノルウェーの備え

日本ほどではないが食料を自給できていない西欧先進国は「不足」や「不測」にどのような対応をしているのだろうか。

日本と同様国土が海や山に囲まれ、人口1人当たりの耕地面積が小さく、かつ食料自給率が低いイギリス、スイス、ノルウェーについて整理してみた。

イギリス

■農業の概要〔＊5、＊6〕

イギリスは、人口6680万人（2019年）、国土24・3万㎢、耕地面積613・2万ha（2019年）、1人当たり耕地面積0・09ha。

イギリスは産業革命の旗手であり、世界に先駆けて工業国となり、19世紀後半から自由貿易を主導した。19世紀後半にはイギリス農業の黄金時代となったが、19世紀最後の四半世紀にはアメリカからの輸入が急増、一時は、小麦の9割弱、食料の7割弱が輸入となり、イギリス農業は破

滅的打撃を受けた。

そこで、１９３０年代に農業保護政策に転換し、この動きは第二次世界大戦で加速した。戦後、１９４７年に制定された農業法では、大戦中の農業保護政策が全面的に引き継がれた。

イギリス農業は保護政策により集約化、効率化、経営規模拡大が進んだ。また、１９７３年のＥＣ加盟によりＥＣの価格支持政策の下でイギリス農業の生産性は増大し、自給率も向上した。しかし、１９９０年代後半から自給率はやや低下している。また、イギリスは環境保護政策を農業分野に先進的に取り入れている。

第二次世界大戦時の食料対応策〔＊7〕

１９３９年、第二次世界大戦が勃発しイギリスの食料輸入は急減、また、戦争の最初の2年間で農場労働者5万人が軍隊に動員され、食料供給はピンチに陥った。

表 3–5 イギリス・スイス・ノルウェーと日本の比較

国名	人口 ①	国土面積 ②	耕地面積 ③	1人当たり耕地面積 ④=③/①	国土に占める耕地面積の割合 ⑤=③/②	食料自給率	
						1961 年	2019 年
	千人	千 ha	千 ha	ha	%	%	%
イギリス	66,797	24,361	6,132	0.092	25.2	42	70
スイス	8,591	4,129	424	0.049	10.3	1996　60	50
ノルウェー	5,357	36,524	805	0.150	2.2	1970　48	43
日本	126,170	37,797	4,397	0.035	11.6	78	38
出典	FAOSTAT　2019 年					農林水産省	

この危機に際して、1939年夏に女性陸上軍（Women's Land Army）が組織され、国内食料生産を増やすための農業労働力として働いた。その数は1944年のピーク時には8万人に及んだ。また、耕地面積を増やすため（戦前、イギリスの耕地は401万ha、牧草地は647万ha、永年牧草地は202万ha）、牧草地から耕地に176万haが転換され、ジャガイモ、小麦がつくられた。さらに鉄道の側、芝生、運動場には野菜がつくられ、バッキンガム宮殿とウインザー城も例外ではなく双方に菜園がつくられた。

■食料安全保障の考え方〔＊5、＊8〕

食料安全保障については、イギリスは国内生産を基本としつつ貿易相手国を多様化することでリスク分散を図ることとしている。

イギリスにとって食料システムの脆弱性は、グローバリゼーションによって引き起こされる経済的、環境的要因にあるとしている。

経済面では石油価格変動が農産物価格に大きな影響を与えること、環境面では気候変動などを重視する。食料問題は、環境、エネルギーなど多面的問題で、食料安全保障は、生産において自給可能（潜在能力はある）になることではなく、食料供給の多様化がセーフガードになると捉えている。

食料安全保障の力点は、次の2点にある。

①国内外からの幅広い調達

i　国内潜在耕作地（牧草地）の活用―これにより家畜生産は減少

ii　リスク分散のため輸入先多様化、輸入のための港湾整備

②流通を含む食品産業のサプライチェーンの信頼性とその円滑な機能の維持

国家食料備蓄は1990年代前半に廃止され、現在では緊急時に民間部門にある食料在庫の活用を想定している。

農業センサス、食料産業データ、地図情報を結び付けた緊急評価データベースシステムにより食料供給能力の評価が可能としている。

スイス

■農業の概要〔＊5〕

人口859万人（2019年）、国土4・1万㎢、耕地面積42・4万ha（2019年）。1人当たり耕地面積0・05ha。

酪農が盛ん（ほぼ国産）だが、耕地が乏しく、山岳農業が発達した。

スイスの食料事情は、自給率50%で輸入に大きく依存している。地勢上、農地の制約があるが、観光産業のために景観保護を考慮しつつ、農業の国内生産をとくに重視する。このため、平時から農業が世界市場の影響を受けないように国内農業を保護する方針をとり、また、連邦政府は農業者に制約を課す代わりに直接給付の助成金（供給保証支払―環境、景観保全とのクロスコンプ

一瞥したスイスの食料安全保障

1

2

スイスは美しい。なぜか。
スイスは国土が狭く、平地が少ないが、

1 平地の農地は整然と整備されて利用されている。

2 日本では耕作放棄され、廃村となっているような奥地（高地）でも、農業が営まれている。

3 街中に残された農地は、一部は菜園、大半は採草地として利用されている。

4 採草放牧地もかんがいされ、アルプスの美しさを引き立てている。

5 狭い急傾斜地もかんがいされ、牧草と家畜が育てられている

3

3

4

4

5

6

6 かんがい水路沿いの路は水路の管理だけでなく、ハイキング路として国民や観光客に利用されている。

このような農地・牧草地、かんがい水路の整備・維持は、農家に絶え間ない努力と負担を強いている。また、これに先進的な家畜福祉（家畜を快適な環境下で飼養することにより、家畜のストレスや疾病を減らすこと）が加わり、国産農産物は輸入農産物に比べ高くなっているが、多くの国民は国内産を購入してこれに応えているようである。

スイスの魅力の源泉は、農業と食料に対する農家と国民の意識の高さにある。

ライアンスあり）を交付している。

食料安全保障の考え方〔＊5、＊9〕

食料安全保障については、耕作農地保全・拡大と食料の個人備蓄を基本として、食料輸入ゼロでも対応できることを目標としている。

供給管理分配決定サポートシステム（計量モデル）を導入、需給バランスを政策の指針にしている。

２０１７年には食料安全保障を憲法に規定した（１０４条ａ）。連邦は国民に確実な食料供給を保証する義務があり、以下の事項を促進するための条件を整備している。

i　農業生産基盤、とりわけ農地保全―自治体に耕地保全義務
ii　地域条件に適合し、自然資源を効率的に用いる食料生産
iii　市場の要求を満たす農業及び農産食品部門
iv　農業と農産食品部門の持続可能な発展に資する国際貿易
v　自然資源の保全に資する食料の利用―食料廃棄の削減

ノルウェー

■農業の概要〔＊5〕

人口５３６万人（２０１９年）、国土36・５万㎢、耕地面積80・５万ha（２０１９年）。耕地面積は国土の約２・２％。農家戸数18万９０００戸（２０１０年）。７５０戸の農家が農地の49％を所有、１人当たり耕地面積０・15ha（日本の０・03haに比べはるかに大きい）。牧草地が農地の約60％で牛乳、肉生産がノルウェー農業の基礎。穀物生産の約80％は飼料。パン用穀物消費量に占める国産品の割合は増加し、１９９８年には約50％に達した。熱量ベースの自給率は１９９０から２０１０年代で45から55％。

■食料安全保障の考え方〔＊5〕

穀物法（穀物の輸出入を政府管理）が１９９９年に廃止され、緊急時に食料管理する土地法、食料のみならず緊急時の物資全般の供給を定める供給法が制定されている。

食料安全保障については、国内生産を基本（飼料として使われるものを食用として使用。農地の理論的潜在性（牧草地を耕地に転換）は大）としつつ、緊急時の食料供給方法として貿易を積極的に活用するということで英国と共通する。

具体的には以下のとおり。

ⅰ　代替物の消費―輸出穀物、水産物を国内消費に回す―食生活変化

ⅱ　食料備蓄の強化―６か月分を国と家庭で備蓄を想定

ⅲ　貿易政策―輸入の多様化、アフリカ諸国援助

イギリス、スイス、ノルウェーから学ぶべきこと

食料安全保障政策は、その国の国土利用のあり方、食料生産の強靭性（レジリエンス）をどのように備えるかについての国民の認識を如実に反映している。これら3国は、人口1人当たりの耕地面積は日本よりは恵まれているが、食料自給率は先進西欧諸国の中では比較的低い（日本に比べれば高い）。しかし、次のように共通するものがある。

①食料安全保障に国を挙げて取り組んでいる。

とくに、

②食料備蓄の認識が、個人、家庭、地域レベルに根付いている。

③牧畜を多く営むため、広い面積の放牧地が存在。牧草地は非常時には耕地に転換可能で、耕地予備軍となっている。

④その予備軍では、日常、畜産が行われ、Livestock（生きている在庫）となっていることが特徴的である。

日本の対応1　食料安全保障についての認識を高める

食料の確保は治安、国防、税・賦役と並び国の成立の基本である。これを整えることができない国は、内においては国民に不安を与え、外からは国としての品格に欠けていると思われ、信頼されない。

食料が「不足」しているのに日本は、たとえば耕作放棄地を増加させ、農地利用率を低下させる等、国土の有する食料生産能力を最大限発揮させることを怠り、「不足」を解消するための取り組みを行っていない。

日本の対応2　十分な食料を備蓄する

わが国は、国土の制約から食料を輸入に頼らざるを得ない状況にあり、食料の輸入先の確保が平時、不測時を問わず必要であるが、生起し得る「不測の事態」に備えて主要食料（コメ）の十分な供給量確保（コメだけで国民を飢えさせない量の確保）を可能とする備えをもつこと、国、県市町村、家庭、個人が不測時に備えた食料備蓄をもつことが必須である。

しかし、食料備蓄についての認識は低く、家庭レベルでの備蓄はほとんど行われていないし、国による「不測の事態」時の食料配給のルールも定まっていない。このことは、食料の「不測の事態」より発生する頻度が高い台風、地震等自然災害にすら備蓄態勢が整っていないことをみても明らかである。

日本の対応3　自給力を高める

前述（第3章第1節）のように、食料・農業・農村基本計画に掲げた食料自給率の向上目標は失敗を重ねており、行政はこれを反省してもいない。年々耕作放棄地が増加し、農地利用率は低下する等、国土の有する食料生産能力を最大限発揮させていない状況にある。耕作放棄地を食料安全保障の見地から保全し有効活用すべきであろう。

国内の耕作放棄地活用は、食料輸入国日本としての責務でもある。食料自給力確保努力の最大化は、世界食料需給の緩和、食料輸出国における農地開発に歯止めをかける一助にもなり、地球環境問題の解決にも資することにもなる。

なお、農林水産省では、「みどりの食料システム戦略」の中で耕地面積に占める有機農業の取り組み面積の割合を２０５０年までに25％（１００万ha）とする目標を掲げている。果たして生産性の向上と地球環境保全を両立させる具体的方途に目途が立っているのだろうか。環境へ配慮した農業と生産性の向上は必ずしも両立しないことを前提に、日本の農地資源を最大限活用して自給力を高める努力が求められよう。

日本の対応4　最後の拠り所である水田を活用し畜産を営む

わが国では、コメの需要が落ち込んでいるため、水田でのコメの作付けが制限されている。しかし、世界的には、家畜の飼料穀物には自前の余剰主食穀物（日本の場合はコメ）を当てるというLivestockの常識がある。わが国の畜産はこの常識から外れ、輸入穀物に依存する経営を続けている。

生産可能な限りエサ米を栽培して濃厚飼料として使用し、「不測の事態」時には、まずエサ米を食べて、次にエサ米に代えて食用のコメを栽培するようにして、水田を、コメの生産力を維持・保全すべきであろう。

また、栽培条件の悪い耕作放棄地等は、放牧地として利用することができ、放牧地は耕地予備軍となる。

なお、耕作放棄地に植林を勧め、あるいは太陽光発電の設置を勧めることは、自ら耕地予備軍を確保する努力を放棄していることに他ならない。

コラム5

アメリカ農業を支えるミシシッピ川

第3章第1節で記したように、わが国はアメリカから大量の穀物を輸入している。日本の食卓や家畜生産は、アメリカ農業に支えられているといってよいだろう。

ところで、アメリカ大陸は広大で、生産地から輸出港まで穀物を輸送するには莫大なコストがかかるのではと思われるが、実はアメリカにはこれを低減するための魔法の装置がある。それがミシシッピ川だ。

ミシシッピ川は、アメリカの北端・ミネソタ州を源流とし、アメリカを南北に縦断してメキシコ湾へと注ぐ世界でも有数の大河川である。河口から２３０マイル（３６８㎞）上流のルイジアナ州の州都バトンルージュまで水深が30メートル以上もあり巨大な外航船の航行が可能で、またミズーリ川が合流するセントルイスまでも2万t以上を積載できるバージ（艀）船団の航行を可能とするだけの水深をもっている。また、セントルイスより上流はロック＆ダム（河川を堰き止めることにより水位調整を行うとともに、落差の部分に船舶が航行できるよう閘門を設けたもので、ミシシッピ川の上中流域に27か所設けられている）でトウモロコシや大豆を運ぶバージの航行に必要な水深が確保されている。

ミシシッピ川流域一帯はトウモロコシと大豆の主要な生産地（いわゆるコーンベルト地帯）となっており、生産物はミシシッピ川を艀で輸出港であるニューオリンズまで運ばれ、そこからパナマ運河を通過できる大型の穀物運搬船に積み替えられて日本に輸出されている。

いうまでもなくアメリカは世界最大の農業国であり穀物輸出国であるが、穀物を大量かつ安価に輸出することを可能にするミシシッピ川の存在と、ロック＆ダムという土木技術が世界の穀倉地帯を支えているのだ。

ちなみに、ロック＆ダムの大半はニューディール政策の一環として１９２０年代から30年代に建設され、すでに相当の年数を経過している。この大動脈が滞ることがあれば、アメリカ農業にとっても、わが国の食料にも甚大な影響がでる（ロック&ダムは1812年以来アメリカ陸軍工兵隊により建設され、管理されている）。

なお、アメリカの穀物はパナマ運河を通って日本に運ばれるが、異常気象によりパナマ運河流域の降雨が減って運河の水位調節をする水の確保が難しくなってきているそうである。ミシシッピ川やパナマ運河で物流が滞ることがあれば、即、日本にとっての不測の事態が生じかねない。

【参考文献】

＊1 令和2年耕地面積（7月15日現在）：農林水産省（maff.go.jp）
https://www.maff.go.jp/j/tokei/kekka_gaiyou/sakumotu/menseki/r2/kouti/index.html
（令和3（2021）年11月30日参照）

＊2 農林水産省「令和2年度食料自給率・食料自給力指標について」令和3年8月
https://www.maff.go.jp/j/press/kanbo/anpo/210825.html

＊3 農林水産省「不測時の食料安全保障マニュアル」平成23年9月
https://www.maff.go.jp/j/zyukyu/anpo/pdf/1sanko2-1.pdf

＊4 IGES気候変動統合チーム「ネット・ゼロという世界 2050年 日本（試案）」
2020年6月

＊5　「欧州における緊急時の生産対応プログラム」調査報告書　株式会社ＳＥＬＣ／SELC Co.Ltd.
平成26年12月
https://www.maff.go.jp/j/zyukyu/zikyu_ritu/pdf/ousyu_all.pdf

＊6　道重一郎「現代イギリス農業の形成と展開」共済総合研究　第53号
https://www.jkri.or.jp/PDF/archives/sogo_53_kiko2.pdf

＊7　YAGRO「How did Britain tackle the food shortages in World War II and what changes had to be made to Agriculture? (yagro.com)」
https://yagro.com/en/posts/how-did-britain-tackle-food-shortages-world-war-ii-and-what-changes-had-be-made-agriculture/

＊8　平澤明彦「英国の食料安全保障政策と日本」農中総研 調査と情報　２００８年7月（第7号）
https://www.nochuri.co.jp/report/pdf/nri0807re2.pdf

＊9　第2章＊1に同じ

第4章

備えの基本は農地の確保

第1節　日本の食料生産力試算（日本の農業の実力を考える）

日本の農地で何人が養えるのか

江戸時代末期の農地面積は約300万haだった、令和2（2020）年は437万ha（ピーク時は昭和36（1961）年の609万ha）となっている。品種改良や農地の条件整備により単収も増加（たとえば水稲の単収について、西尾道徳（＊1）によれば、奈良末期から江戸時代初期まで1～1・5t／ha、江戸時代終わりに2t／ha近く、第二次世界大戦の直前で3t／ha前後、現在で5・3t／ha）している。一方で、食生活は豊かになり、1人当たり摂取カロリー量もPFCバランス（PFCは、Protein（タンパク質）、Fat（脂質）、Carbohydrate（炭水化物）それぞれの頭文字を取った言葉）も大きく変わっている。

　ノンフィクション作家の中野不二男はその著書（＊2）の中で、単位面積当たりの土地でどれだけの人々の暮らしを支える能力があるかを「人口支持力」とし、「江戸時代まではその時どきの農業生産技術に裏打ちされた人口規模を規定してきた」と述べている。そ

出版案内

どうなる！ 日本と世界

2023.2

人新世の地球環境と農業

石坂匡身・大串和紀・中道宏 著

「日本は食料危機にどう備えるか」 978-4-540-22211-5

農文協
(一社)農山漁村文化協会
〒335-0022 埼玉県戸田市上戸田2-2-2
https://shop.ruralnet.or.jp/
読書係直通
TEL 048-233-9351 FAX 048-299-2812

人新世《アントロポセン》の地球環境と農業

石坂匡身・大串和紀・中道宏 著

978-4-540-19212-8

●1980円

1万1700年前からの地質時代区分「完新世」に「人新世」という新たな区分が必要と提唱されるほど、人間活動により激変する地球環境。その原因と結果を解説、立ち向かうため日本農業にできることは何かを明らかにする。

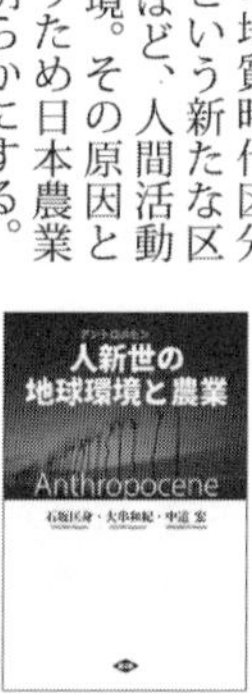

食・農・環境とSDGs

持続可能な社会のトータルビジョン

古沢広祐 著

978-4-540-19209-8

●2530円

現代は国際分業・競争とエコロジー運動・地域コミュニティ・地域循環型社会の形成が二極対抗的に展開している。グローバル化とローカル化の相克と相互革新という視点からＳＤＧｓを実現する新しいパラダイムを示す。

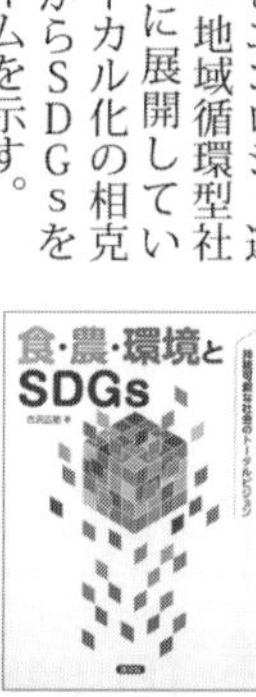

家族農業が世界の未来を拓く

国連世界食料保障委員会専門家ハイレベル・パネル 著

家族農業研究会・農林中金総合研究所 訳

978-4-540-14116-4

●2200円

家族農業が食料（安全）保障や食料主権、真の経済成長と雇用創出、貧困削減、生物多様性の持続的管理、文化的遺産の保護等々に貢献できることを、ＦＡＯという国際機関が世界各国各地域の実情を調べ、実証、勧告。

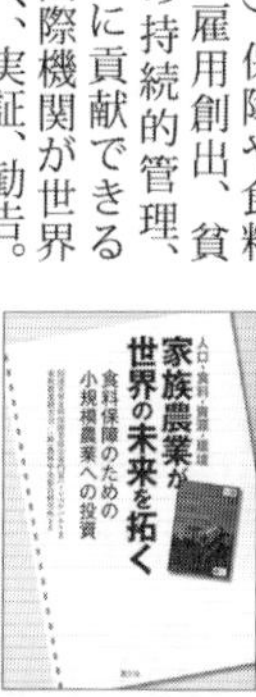

解題増補 「新みずほの国」構想

日欧米　緑のトリオをつくる

角田重三郎 著

978-4-540-14254-3

●1760円

日本を成長社会から安定成熟社会に導く鍵は、飼料米・イネでイナ作と畜産を結びつける新たな水田農業だ。この新たな水田農業が、アジアの「民衆を幸せにする」近代化のモデルとなり、日米欧の安定化の基礎となる。

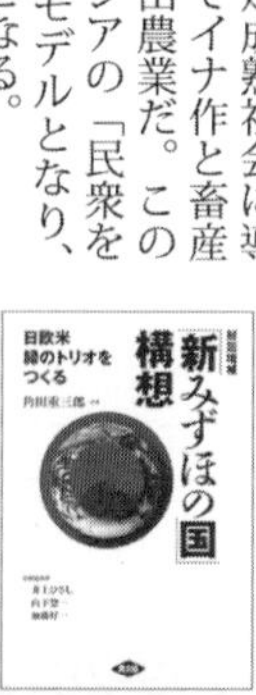

新刊

有機農業は どうすれば発展できるか
技術・経営・組織・政策を可視化する

胡柏《フバイ》 著

978-4-540-22205-4 ●３８５０円

有機農業を大きく発展させるためには何が必要か？ 有機農家・農業法人の集計分析や詳細な事例調査をもとに、優れた有機農業の技術と経営を「見える化」。市場拡大の課題や、有機ＪＡＳやＧＡＰなどの制度的課題も考察する。

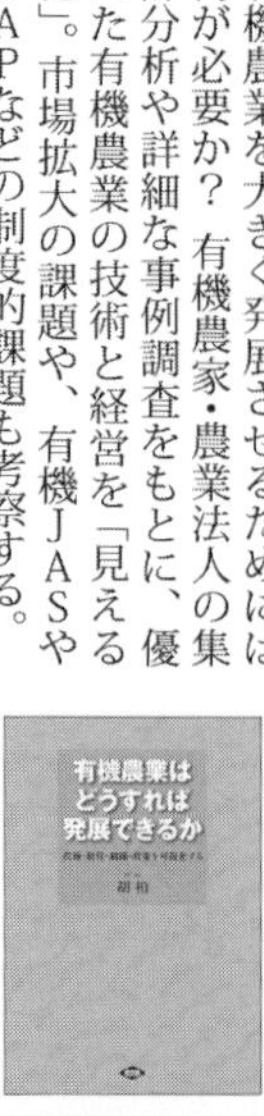

だから集落営農が必要だ
集落営農法人第1号「おくがの村」の35年

糸賀盛人 著、榊田みどり 取材・構成

978-4-540-22187-3 ●１３２０円

全国初の集落営農法人である島根県津和野町の農事組合法人おくがの村。どうやって農家を減らすことなく、ＵＩターン者を受け入れる組織となっていったか。設立以来の組合長の証言からその実践哲学と組織原理を探る。

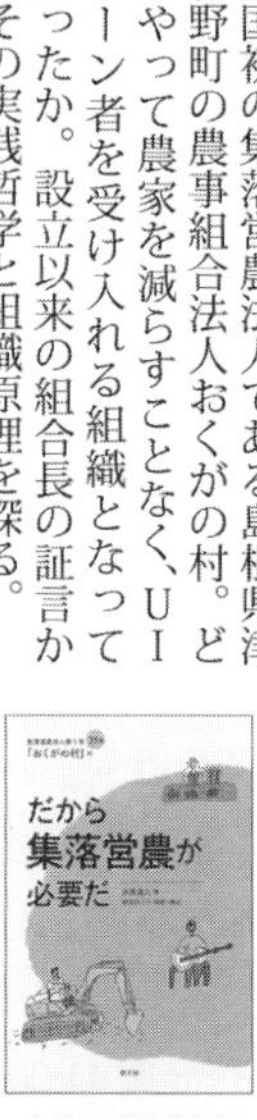

テーマで探究 世界の食・農林漁業・環境 全3巻 978-4-540-22112-5

2023年3月完結

農林漁業はいのちと暮らしに深くかかわり、地域、森・川・海、日本や世界とつながっていることを、問いから深めるシリーズ。中学・高校生の探究学習のテキストや、大学ゼミ・講義の副読本に最適。

①ほんとうのグローバリゼーションってなに？

地球の未来への羅針盤 池上甲一・斎藤博嗣 編著

②ほんとうのサステナビリティってなに？

食と農のＳＤＧｓ 関根佳恵 編著

③ほんとうのエコシステムってなに？

漁業・林業を知ると世界がわかる 佐藤宣子・二平章 責任編集

●揃価 ８５８０円

●各巻 ２８６０円

して、「しかし、我が国の人口支持力は大正末期（約５６００万人）に力尽きた。その時の食生活を支えてきた作付面積は５５９万haで、この時代と同じ食生活の条件で現在の１億２千万余の人口を養うには１２７５万haの作付面積が必要」と指摘している。

現在の食生活は、外国からの食料輸入により支えられており、わが国の食料自給率はカロリーベースで38％（令和元（２０１９）年度）に過ぎない。逆にいえば、現在のわが国の農業生産で養うことのできる人口、令和元年の人口１億２６１６万人を基に計算すれば、

1億2616万人×0.38=4794万人

ということもできる。

また、令和元年度の主な輸入農産物の生産に必要な海外の作付面積は９５９万ha（＊3）で、これに令和元年の国内の耕地面積４４０万haを加えると、現在の人口及び食生活水準を支えるには１３９９万haの作付面積が必要ということになる。そこで農地面積からみてわが国の農業生産で養うことのできる人口は、

1億2616万人×（440万ha/1399万人）=3968万人

となる。

農林水産省は、不測時において必要となる推定熱量を２１６８kcal／人・日としている（＊4）が、これは不測の事態に備えてのもので、国が示す「可能な限り、高い質の生活を保障する社会」という「持続可能な社会のあり方」とは相容れないが、仮に、現在の供給熱量約２４２６kcal／人・日を２１６８kcal／人・日に落とせるとしても、前述の計算では、

4794万人×（2426/2168）=5365万人
3968万人×（2426/2168）=4440万人

となる。

しかし、この試算は、いずれも現在の営農技術（石油エネルギーを肥料や農業機械の燃料、輸送に使用すること）を前提としていることに留意することが必要である。

以上のようなことを考えると、「持続可能な社会」で、わが国が国内の資源で養い得る人口はせいぜい４０００万人から６０００万人程度とみるのが妥当なところだろう。

必要農地面積に関するいくつかの試算

前段では、日本の国土でどれくらいの人口が養えるかを考えたが、逆に、現在及び将来の人口を養うのに、どれくらいの農地面積が必要かを考えてみる。

①食料自給力からの試算

農林水産省の平成30（２０１８）年度の食料自給力指数算定（第3章第3節参照）に用いられている水田面積は、湿田87万ha、乾田１４０万ha、畦畔13万haで計２４０万ha、畑地は、樹園地27万ha、牧草地59万ha、普通畑１１１万ha、畦畔4万haで計２０１万haとなっている。

畑作物を無視して、水田の面積比で自給力が高まると仮定すると、コメ・小麦中心の作付けでの自給力指標は1691kcalと算定されている（図3−2参照）ので、1人当たり推定エネルギー必要量とされている2169kcalを賄うには、

1691kcal：2169kcal=240万ha：X　（必要水田面積）

X＝308万ha

が必要となる。

同じ計算で、田畑合わせた面積で計算すると、

1691kcal：2169kcal=441万ha：Y　（必要田畑面積）

Y＝566万ha

となる。

②昭和40（1965）年と同じ食生活を前提とした試算

第1章で示したように、わが国がコメの自給を達成する直前の昭和40年は、1人当たり供給熱量は現在とほぼ同じ水準であるが、その大部分はコメ・小麦中心の、国内農地から生産される食料に依存していた。

今後想定される食料不足に対しては、一時的な不測の事態への対応ではなく、常時起こり得る不足の事態にも備える必要があるので、昭和40年における国内での農業生産や国民への供給熱量自給率を基に考えてみる。

食料不足時にコメから昭和40年と同じ水準で熱量を摂取するとすれば、当時のコメの作付面

積が３１２万ha（畦畔を含む水田面積に換算すると３３４万ha）であるので、現在（令和２（２０２０）年）と昔（昭和40年）の人口比から、必要な水田面積は、

334万ha×（126146千人/98275千人）=428万ha

となる。これに昭和40年から令和２年までの単収の伸び（表４―１　10a当たり収量参照、５３１kg／３９０kg＝１・36）を加味すれば、

428万ha/1.36=315万ha

となる。

①と②の試算はくしくもほぼ同じような値となっており、コメ・小麦中心の食生活で国民の食料を賄うには、３００万ha前後の水田が必要ということになる。

さらに、これに今後の人口減少〔＊５〕を考慮すれば、将来に向けて必要な水田面積は、

２０３０年（令和27年）　300万ha×（119125千人／126146千人）＝283万ha

２０４０年（令和37年）　300万ha×（110919千人／126146千人）＝264万ha

２０５０年（令和47年）　300万ha×（101923千人／126146千人）＝242万ha

となり、私たちは、今後の人口減少を加味しても、昭和40年ごろの食生活を維持するためには常に最低でも約２５０万ha以上の水田（令和２年の転作や休耕をしている水田を含めた面積は２３８万ha）を、直ちに作付けできる状況で確保しておく必要がある。

しかし、世界的な食料不足が発生した場合でも、飽食に慣れた国民は昭和40年当時の食生活に、本当に満足できるのだろうか？

表4—1 日本の人口と農地面積、コメの生産・消費量等の推移

事項	年		人口（千人）	農地面積（万ha）						作付面積（万ha）		コメ生産量（万t）	10a当たり収量（kg）	自給率（カロリーベース）（%）	1人当たり供給カロリー（kcal）		1人当たりコメ消費量（kg）
				水田面積	畑面積				計						全体	うちコメ	
					普通畑	果樹	牧草地	小計		米	麦						
戦後	1950	昭和25	83,200							288		941	327				
農地面積ピーク	1960	昭和35	93,419	338		25	51	269	607	312	152	1,254	401				
コメ自給達成前後	1965	昭和40	98,275	339				261	600	312		1,218	390	73	2,536	1,090	111.7
	1967	昭和42	100,196	342				252	594	315		1,426	453				
	1970	昭和45	103,720	342		42	74	238	580	284	48	1,252	442	60			
現在	2020	令和2	126,146	238	113	27	60	199	437	146	10	776	531	37			50.7
将来	2030	令和27	119,125														
	2040	令和37	110,919														
	2050	令和47	101,923														

出典：2020年度までの人口は総務省統計局の「人口の推移と将来人口」、それ以降は国立社会保障・人口問題研究所「日本の将来推計人口（平成29年推計）」による。また農地面積、作付面積、コメの生産量、自給率等は農林水産省の作物統計等による。

満足できないならば、さらに多くの水田を確保しておく必要がある。

なお、昭和40年当時の水田面積は339万ha、畑面積は261万haであるので、この比率で300万haの水田に合わせた畑面積の必要量を試算すると

339万ha：261万ha＝300万ha：Z（畑面積）

Z＝231万ha

となり、田畑合わせて531万haの農地が必要となる。

コラム6

日本と世界の人口の長期見通し

1 日本の人口

2022年3月1日現在の日本総人口は1億2510万人、前年同月対比で81・5万人減少している。人口構成の内訳は、15歳未満1466万人（前年同月比26万人減）、15歳から64歳7419万人（同68万人減）、65歳以上3623万人（同13万人増）である。

20世紀以降のわが国の人口の推移をみると、1910年5098万人、1945年7199万人、1967年に1億人を超え、2000年1億2692万人、2008年1億2808万人がピークとなり、以降減少して今日に至っている。

終戦後の1947年には270万人出生し出生率は4・54であった（終戦、復員などの事情による）。その後、1960年代から1970年代にかけて出生率は2・13前後（第2次ベビーブームと呼ばれた）で毎年200万人以上が生まれた。しかし、1975年に出生率は2を割り出生数は200万人を下回った。以降、1987年には出生数135万人、2010年107万人、2016年98万人、2021年81万人（出生率1・36）と推移し、日本の総人口は減少に転じている。

出生率を1・44とした将来推計によれば、日本の人口は、2030年1億1913万人、2065年8808万人となる。65歳以上の人口は、それぞれ3716万人（総人口比

31・2%)、3381万人(38・4%、うち75歳以上が2246万人)となる(2019年の65歳以上は3589万人で28・4%)。

出生率の減少と長寿化は人口構成の大きな変化をもたらしている。14歳未満と15歳から64歳の生産年齢人口の割合が減少し、65歳以上の高齢者、75歳以上の後期高齢者の割合が増していく。

労働力の面では65歳以上の健康な人々には働いてもらうことが必要となる。社会保障の再構築も必要となる。高齢者の介護がこれまでの保育問題に代わって解決すべき大きな問題となろう。

労働力を補うため定住外国人、移民の受け入れの必要も迫られよう。子供の教育、宗教問題、同化しない人々、犯罪者の増加などの、すでに難民を受け入れている先進国の抱える問題に直面することになる。

人口減少は社会の活力の低下をもたらす。一方、現在は人口過剰で日本の国土面積に見合った人口になった方が暮らしやすくなる側面もある。人口減少か、回復かの選択を迫られているともいえよう。

人口回復には出生率の向上が課題となる。子育てができる所得を夫婦が得られる社会システム構築が求められる。

２　世界の人口

国連の「世界人口推計２０２２」によれば、２０２２年の世界人口は80億人とされる。中国14・３億人、インド13・８億人、アメリカ３・３億人。２億人台は、インドネシア、パキスタン、ブラジル、ナイジェリア。日本は１・２億人で11位となっている。

平均寿命は72・８歳（途上国は平均を下回る）。平均寿命は、アメリカ、日本、ロシアは女性が男性より長く（ロシアでは、男は飲酒により短命とされる）、インド、パキスタンなどアジアでは男性の方が長い。

２０１０年から２０２０年の移民の動きは、労働者移民はバングラディシュ、フィリッピンなど、治安悪化や戦争紛争による移民はミャンマー、シリア、ベネズエラなどとなっている。

同推計によれば、現在80億人の世界人口は２０８５年に１０４億人のピークを迎え、その後は横這い、微減となる。60億人から70億人、70億人から80憶人に増加するのにそれぞれ12年を要したが、80億人から90億人（２０７３年）に増加するのに14・５年を要し、これはアフリカ、アジアの増加によるとする。

２０５０年までに55か国で人口は減少する。中国も減少するとみている。

65歳以上の人口割合は増加（２０１９年９％、２０５０年16％）、先進国では80歳以上が急増する。

出生率は２０４５年から２０５０年は２・05と低下する（１９７５年から１９８０年

平均3・92、２０００年から２００５年平均2・65）。なお、人口が長期安定する出生率は2・1とされる。

世界人口は21世紀にもアジア、アフリカを中心に増加するが１００億人程度で上げ止まり、年齢構成は高齢者が増加すると見込まれている。

食料、地球環境、ＳＤＧｓからの対応の途を考えていかねばならない問題である。

第2節 備えの基本は農地（とくに主食を生産する水田）の確保

農地の確保は国土経営の基本である

すでに、第2章第4節及び第3章第4節で、

・食料の確保は治安、国防、税・賦役と並び国の成立の基本である。

・これを整えることができない国は内においては国民に不安を与え、外からは国としての品格

に欠けていると思われ、信頼されない。

・今後、世界の人口が増加し、また地球環境保全のために農の営みが制約を受け、世界の食料は逼迫することから、国土の食料生産能力を最大限発揮させないで輸入に依存する国は、世界の食料供給の安定と地球環境の保全の観点から、世界中から糾弾されることになる。

と述べた。

食料安全保障からみて、海外からの食料輸入に多くを依存している日本の現状では、農地が足りていない。しかもその農地のかなりの部分が放棄され、荒廃が進んでいる。一度荒れた農地の復旧には費用と時間を要することになり、また復旧できても、それを耕作する農業者がいなければ、農業生産はできない。

食料の安全保障、それを支える国内の土地利用のあり方は、国土経営の基本との観点から大きな問題である。

基本は水田農業

日本人の主食はコメである。そのコメは水田でつくられる。

水田は日本の農地の中で最大の割合を占め、水田での栽培技術も長い歴史の中で培われ、継承されている。

水田は農地に水を張ることで、畑のように土壌侵食や連作障害も心配する必要がなく、継続してコメの生産が可能である。また、水田は排水条件さえ整えば平坦な畑地としても利用可能である。

昭和40年代にコメの自給を達成した後、日本人の食生活が次第に洋風化してコメの消費量が減ってきたことから、水田では減反調整という形で、野菜や飼料穀物を生産する畑としても利用されてきた。いわば、田畑両様の農地としての利用経験も豊富なわけだ。

このような日本独特の水田営農の経験を活かしながら、食料不足への備えを講じたい。なお、日本のコメはわが国独特の品種として育成されてきた経緯があり、その種子は国内で大事に維持され、また、地球温暖化へ対応できる品種への改良等も進められている。最近、大豆やトウモロコシなどにハイブリット品種が増えてきており、その種子を外国の民間企業に委ねる傾向が世界的に強まっているが、外国産のハイブリッド種子が手に入らない事態が生起すれば、当然、生産にも大きな障害が生じる。この点で、日本のコメは国内で種子の確保ができるので、心配が不要である。

ここで令和2（2020）年度における水田の利用状況をみてみよう。

令和2年における水田面積は238万ha（うち本地225万ha、畦畔13万ha）であるが、そこに作付けされたのは主食用米136・6万ha、加工用米4・5万ha、備蓄米3・7万ha、飼料用米7・1万ha、稲発酵粗飼料（稲WCS）4・3万ha、米粉用米0・6万ha、輸出用米等新市場開拓用米0・6万haで、合計157・4万haと本地面積の70％に過ぎない。また転作で麦9・8万ha、大豆8・5万ha、飼料作物、そば、なたねで10・2万haが作付けされているが、残りの39・1万haはどのように利用されているかわからない。転作で果樹や野菜が作付けされている水田も多いと思われるが、一方で作付けされていない水田も多いのではなかろうか。

今後、長期的な国土経営の観点から、農地とくに水田をどのように位置づけていくのかが最大の課題である。

水田の維持に欠かせない水利システムの再構築

農業水利施設は、ダム、頭首工、水路、揚水機場等多くの種類の構造物で構成される。一定のかんがい面積を対象とした、この水利施設の一群とその機能を「水利システム」と呼んでいる。コメを栽培するためには、十分な水が不可欠で、生育に必要な時期に必要な量の水が供給できるシステムが備わっていなければ、水田の機能は果たせない。

食料安全保障の観点から「水田」を維持するためには、同時に水利システムを良好な状態で維持・管理していくことが不可欠である。

水田の水利システムは、これまで農村地域でコメを栽培する多くの農家の共同作業で維持されてきた。しかし、すべての水田でコメの栽培ができるわけではない状況が続いており、また農業者が減少・高齢化する中で、水利システムの維持が困難になってきている。

加えて、地球温暖化の進行等により、降雨形態や河川流況の変化、コメの作付け時期の変化等も生じている。さらに、農業経営の大型化、農地利用の集積で水利システム管理の省力化が求められている。

現有の水利システムの機能や強度を科学的に知り、また、「水田」に期待される多面的機能をより発揮できるように水利システムに改編し、さらに水利システムに存在する高低差を利用して再生可能エネルギー（小水力発電）を開発すること、気候変動を予測し適応策を策定することはいずれも容易なことではなく、国の応援を必要とする。

また、受益面積が100ha以上の基幹的な水利システムの約3割は国により造成され、その多くは国有財産であり、水利権者も農林水産大臣であることからも、国が先導的に水利システムを再構築することが求められている。

コラム7

米食ほど地球環境にやさしい食システムはない

少し古いが、産業連関表を用いて、食料の生産（農業）、食料品の加工、流通（卸・小売り、運輸）、食物の消費（家庭、学校、飲食店など）、廃棄物処理（家畜のふん尿などの産業廃棄物処理、厨芥、し尿などの一般廃棄物処理）・再資源化（肥料・飼料などに再利用、再生）にいたる各過程（ライフサイクル）に投入される直接・間接エネルギー（kcal）と、その食品に含まれる栄養熱量から得られるエネルギー（kcal）を比較し、おのおののエネルギーコストを計算したデータがある（久守藤男著『LCA手法による飽食経済のエネルギー分析―和食と洋食を比較する―』農文協　2000年)。

それによると、1990年の精米のコストは、キログラム当たりに投入される燃料エネルギー（熱量）が6326kcalで含有栄養熱量が3560kcalであるので、栄養熱量kcal当たりエネルギーコストは、6326／3560＝1・78となっており、平たくいえば、精米で1kcalの栄養熱量を摂取するのに1・78kcalの燃料エネルギー（熱量）を要しているという計算だ。ちなみに他の食品では麺類4・3、パン類3・6、菓子類4・5、露地野菜11・9、施設野菜28・6、果実7・2、牛精肉（輸入肉を含む）7・1、国内産牛精肉（国産は飼料を輸入しているためコストが高い）11・3、豚精肉5・3、鶏精肉6・4などとなっており、精米が一番エネルギーコストは低くなっている。

日本の食全体としてのエネルギーコストをみると、1960年1・84、1970年4・54、1980年5・50、1990年5・53となっているが、これは主に1960年から1970年にかけて石油燃料を使う農業機械が普及し、また食生活の内容が洋風化して低コストの米食が減り、高コストの肉食が増え、さらに加工食品や外食が増えてきたためとされる。

このような解析結果を踏まえ、久守は「米の栄養熱量当たりの投入燃料エネルギーは他の食料品の半分以下、その燃料の燃焼等により発生するCO_2排出量も半分以下。米食ほど地球環境にやさしい食システムはない」「日本人に肥満や成人病（生活習慣病）がみられるようになった大きな原因は、脂肪の取りすぎ、肉食の増加にある1965年ごろから70年代は栄養がバランスし、エネルギーコストも4台と低かったのは米食が栄養熱量に占める比率が30％台であったから」「米食はCO_2の排出が少なく、地球温暖化にコミットすることが少ない」「農業、農村の果たしている多面的、公益的機能は水田農業によるところが大きい。水田は、その土壌生態系と水流とが一体となって、高エントロピー（各種のよごれ、熱）を浄化、廃棄、循環する機能をもっている」「水田稲作は、土壌侵食も塩類集積もない。持続可能性に富んだ資源・環境保全システム」だとして、米食を再認識するべきと述べている。

なお、この分析結果は栄養熱量面からの比較であり、他の指標を基にした分析ではまた違った結果がでてくるかもしれない。また、約30年前のデータであり、その後のライフサイクル各段階における省エネの進展を反映させれば、現時点での数値もかなり変動していることだろう。さらに、水田からは地球温暖化物質であるメタンの発生も指摘されており、コメのエネルギーコストが低いからといって、必ずしも環境に一番やさしいとは言い切れないかもしれない。しかし、日本の風土の中で、自然と調和しながら長い間育まれてきた稲作＝コメが、相対的にみて他の食品に比べて環境にやさしいとはいえるのではないだろうか。

20年以上前に、地球環境を保全する観点から食品のエネルギー分析に取り組み、水田稲作＝コメの重要性を指摘されてきた久守氏の先見性と慧眼に敬意を表したい。

第3節　農地の拡大・維持は簡単なことではない

農地開発の歴史を振り返る

第二次世界大戦後、海外からの復員者や引揚者が急速に増加し、失業者が巷にあふれる一方、国民に満足に食料を供給できない事態が生じていた。このような事態に対処するため、昭和20（１９４５）年11月から「緊急開拓事業」が開始され、大規模な開墾、干拓、あるいは土地改良事業を実施して食料増産を図るとともに、造成した農地に多数の失業者を帰農させることになった。

この緊急開拓事業では、昭和26（１９５１）年3月末までに約44万haの開墾が行われ、昭和27（１９５２）年3月末まで約21万戸が入植し、約80万戸が増反の恩恵を受けた。この7年間で約44万ha（約6万ha／年）という数字は、まさに全国民がそれこそ必死で取り組んだ結果である。当時はまだ開発適地も多く残されていたこと、新規入植希望者も多かったということを踏まえても、今日では想像もできない面積の農地が短期間に造成されたことになる。

その後、昭和20年代の終わりとなると、わが国の国際収支が大幅に悪化し、開拓予算の増加が期待できなくなったため、外資導入による事業が検討され、愛知用水、八郎潟干拓、篠津地域泥炭地開発、上北、根釧地区の開発等の大規模プロジェクトが世界銀行の融資対象として行われた。

一方、昭和30年代に入ると、高度経済成長が始まり食料需要の構造変化、農業労働力の非農業部門への流出、農家の兼業化の進展等、社会経済状況が大きく変貌してきた。農地開発についても、食料増産にある程度の見通しがついたこと、第二次、第三次産業が活性化し雇用の場が広くなってきたことなどから、食料増産、雇用対策としての意義は薄れてきた。

このような情勢の中で、昭和36（1961）年、経営規模を拡大し、農業構造を改善し、自立経営を図ることを目的として「農業基本法」が制定され、農地開発も農業経営規模の拡大、農業構造の改善、自立経営の育成を図りモデル経営の創出を図る事業として再編された。また、昭和42（1967）、43（1968）年にはコメの大豊作により生産過剰が発生したことから、開田抑制と稲作から畑作への転換が進められることになった。

このように、戦後の食料増産から農業構造の改善へと主たる目的を変えながらも、営々として国が主導しながら農地開発が行われてきた。

しかし、昭和60年代に入って経済成長の進展により円高が急速に進み、他国との貿易不均衡と内外価格差がより一層顕在化すると、「農業は過保護で、国民が豊かさを実感していくためにも国内市場を開放して海外の安い農産物を輸入すべき」といった主張が行われるようになってきた。

そのため、開発適地が少なくなってきたこともあり、国が事業主体となって行われてきた農地開発は平成元（１９８９）年度に廃止された。

農地利用の現状

農林水産省の「荒廃農地の現状と対策について（令和３（２０２１）年12月）」によると、日本の農地面積は、昭和36（１９６１）から令和３年の半世紀の間に、約１１３万haが農用地[注5]開発や干拓等で拡張された一方、工場や商業用地、道路、宅地等への転用や農地の荒廃等により約２８３万haが改廃され、ピーク（昭和36年）の６０９万haから４３５万ha（令和３年）へと減少した。農地面積の減少傾向は今でも続いているが、農用地の新規開発が難しい現在、何はさておき、これをくい止めるのが最も重要な課題であろう。

また、令和２（２０２０）年時点で、荒廃農地が約28・２万haあり、農林水産省は、うち９・０万haは再生可能、19・２万haは再生困難としている。

農林水産省の分析では、荒廃農地となる理由は、山間や谷地田など、自然条件が悪い中山間地域の割合が高く、また荒廃農地の発生原因は、①農業者の高齢化や労働力不足、②土地持ち非農家の増加、③農産物価格の低迷と収益の上がる作物が見つからないこと、④中山間地域では鳥獣被害などを挙げているが、その一方で、基盤整備が実施された地区においては、荒廃農地の発生が極めて少ないとも指摘している。

令和２年に策定された「新たな食料・農業・農村基本計画」では、荒廃

注５　農用地：農地（田畑などの耕作の用途で使われている土地）及び直接的な耕作以外で耕作・養畜のための採草の目的あるいは家畜の放牧の目的に使われている土地。

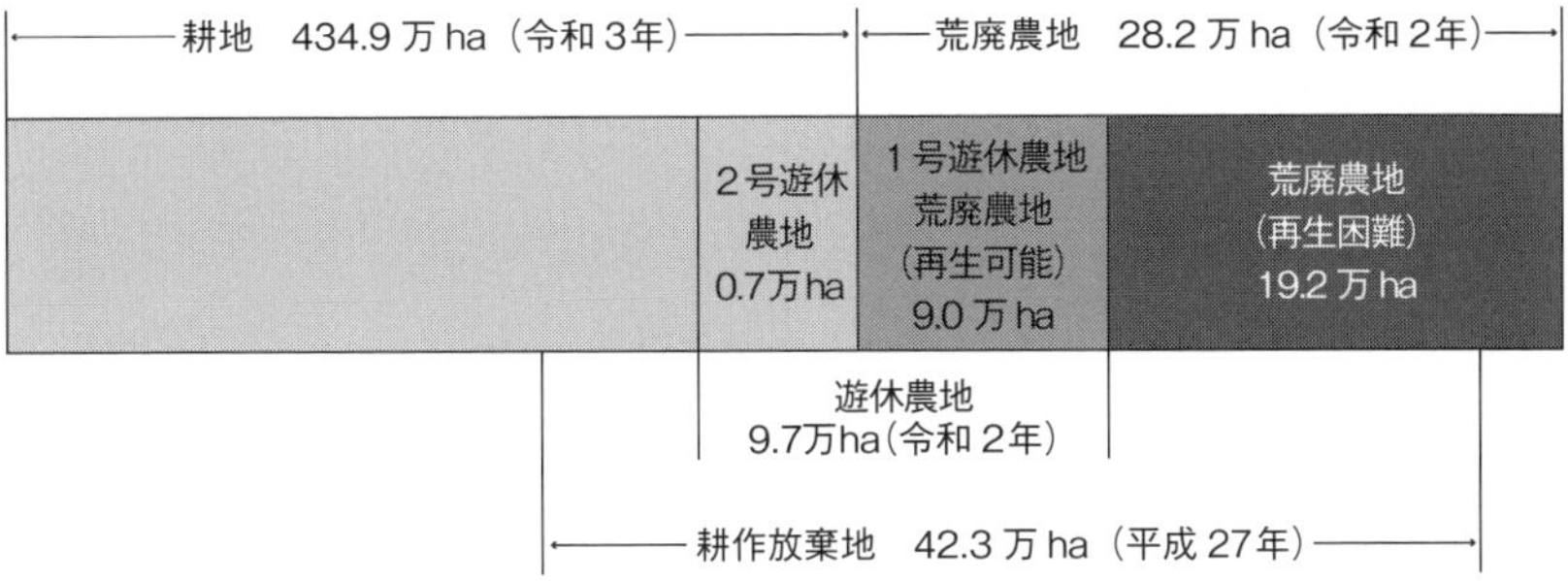

荒廃農地	現に耕作に供されておらず、耕作の放棄により荒廃し、通常の農作業では作物の栽培が客観的に不可能となっている農地
再生可能な荒廃農地	荒廃農地のうち、抜根、整地、区画整理、客土等により再生することにより、通常の農作業による耕作が可能となると見込まれるもの
再生困難な荒廃農地	荒廃農地のうち、森林の様相を呈しているなど農地に復元するための物理的な条件整備が著しく困難なもの、または周囲の状況からみて、その土地を農地として復元しても継続して利用することができないと見込まれるものに相当するもの
遊休農地	
1号遊休農地	現に耕作の目的に供されておらず、かつ、引き続き耕作の目的に供されないと見込まれる農地（再生利用が可能な荒廃農地）
2号遊休農地	その農業上の利用の程度がその周辺の地域における農地の利用の程度に比し著しく劣っていると認められる農地
耕作放棄地	以前耕作していた土地で、過去1年以上作物を作付け（栽培）せず、この数年の間に再び作付け（栽培）する意思のない土地をいい、農家等の自己申告による主観的な数字

図4–1　農地・荒廃農地の現状

出典：農林水産省「荒廃農地の現状と対策」令和2年4月版及び令和3年12月版から作成

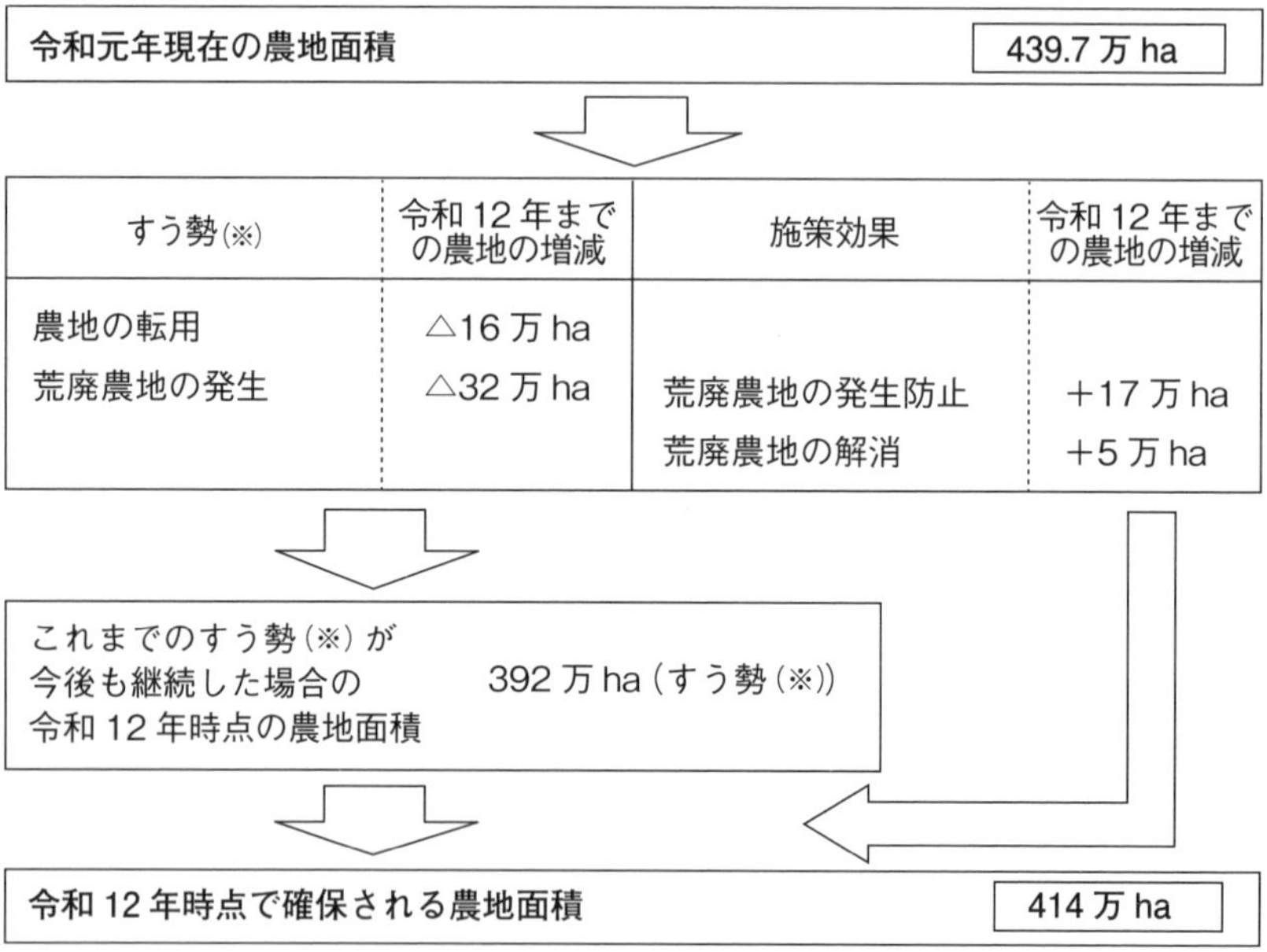

(※) すう勢は、農地の転用及び荒廃農地の発生が同水準で継続し、かつ、荒廃農地の発生防止・解消に係る施策を講じないと仮定した場合の見込み。

図 4—2　新たな食料・農業・農村基本計画（令和 2 年）における令和 12 年度の農地面積

出典：農林水産省

農地の再整備により、令和元（２０１９）年度の農地面積４３９・７万haを４１４万までの減少にとどめるという計画（図４−２参照）を立てているが、農地の減少程度を少なくするだけで、農地を増やすこと、少なくともこれ以上の減少を食い止めるという計画ではない。これは余りに消極的な対応ではないだろうか。食料安全保障の観点からみれば、より積極的に農地を減らさないような施策、増やすような施策を講じていくべきではなかろうか。

なお、前述したように、国が農地開発に積極的に取り組んだ時代の造成実績は年間17・1千ha（緊急開拓期間を除くと0・93千ha／年）である。これから試算すると、荒廃農地約28万haの解消・再生に国が積極的に関与しても、なお今後約16年（あるいは30年）を要することになるが、国の直接的な関与がない現在の状況では、荒廃農地の解消や再生（以下、本書では、再生可能な荒廃農地を農地として利用できるようにすることを「解消」といい、再生不可能な荒廃農地を新しい農地として再生させることを「再生」という）にどのくらいの年数がかかるか、想像すらできない。

コラム 8

コメの輸出について

平時には国内で生産した余剰なコメを輸出し、「不測の事態」には輸出していたコメを国内に仕向けるというのは、食料安全保障からみて合理的なことである。

ところで、世界で栽培されているコメには、大きく分けて「ジャポニカ米」「インディカ米」「ジャバニカ米」の3種類があるが、約8割は「インディカ米」で、「ジャポニカ米」は日本・朝鮮半島・中国東北部・ヨーロッパの一部などでつくられているに過ぎない。このため、食生活の違いから日本米の輸出先もおのずと限定される（平成5（1993）年のコメ不作時、急遽タイ米（インディカ米）の輸入が行われたが、国民には不人気であったことを思い出してほしい）。

加えて、日本産は品質の高さが売りではあるものの、コメの国際価格は日本のコメの半分程度で、高価格の日本米を受け入れられるのは海外の一部の高所得者に限定されよう。

ちなみに、令和３（２０２１）年の玄米・精米の輸出量は、日系スーパー、日本食レストランチェーン、おにぎり店等での需要開拓の結果、香港、シンガポール、アメリカ、台湾などへ２・３万ｔ、（玄米１・６万ｔ、精米０・７万ｔ）と大きく増加しているが、日本のコメの生産量（令和３年で約７００万ｔ）からみるとごくわずかである。今後、コメの輸出が相当伸びるとしても、食料安全保障に役立つような大きな量にはなり得ないのではないだろうか。

政府は「コメ海外市場拡大戦略プロジェクト」を立ち上げコメの輸出拡大を図ろうとしているが、食料安全保障対策としての期待よりも、むしろ輸出により日本農業へ活気を与えることを期待しているのではなかろうか。

第４節　農地の確保に向けて政策転換を

未利用地の解消と耕地利用率の向上

前節図４―１で、耕作放棄地が42・３万ha（平成27年）（うち遊休農地が９・７万ha（令和２年））と紹介したが、まず、この農地を有効に活用できるようにすべきである。耕作放棄地等は、中山間地等の条件不利地に多いと想定されるため、「中山間地域等直接支払[注6]」等の条件不利地対策の一層の充実が望まれる。

また、限られた農地を有効に利用するため、とくに温暖な西日本では、二期作や二毛作により耕地利用率を上げることで、農地の有効活用ができる。

わが国の農地利用率は、昭和48（１９７３）年から平成４（１９９２）年までは１００％を超えていたが、平成５（１９９３）年に１００％となり、平成６（１９９４）年には99・３％と１００％を下回った。平成７（１９９５）年以降はほぼ低下傾向で推移し、令和２（２０２０）年には水田92・９％、畑89・４％、田畑平均で91・３％にまで落ち込んでいる。国民の貴重な資

注６　中山間地域等直接支払：農業生産条件の不利な中山間地域等において、集落等を単位に、農用地を維持・管理していくための取り決め（協定）を締結し、それにしたがって農業生産活動等を行う場合に、面積に応じて一定額を交付する仕組み。

産である農地を有効に活用し、食料自給率を高めていく努力が大切である。

第3章第1節で紹介したように、国は食料・農業・農村基本計画の中で耕地利用率の向上を目標に掲げてはいるものの、これまでの実績はいずれも未達成となっているばかりか、逆に年々低下している。

水田の汎用農地化の推進

先に記したように、現状では水田のうち約3割は水田として利用できない状況にある。そこで、水田を有効に利用するため、多くを輸入に依存している麦や大豆を水田で作付けすることが推奨されているが、これらは湿害に弱いため、水田土壌内の排水条件を改善する必要がある。

平成22（２０１０）年3月現在の調査によると、畑としても利用が可能な排水が良好な水田は、30a程度以上の区画に整備済みの水田１５５万haの3分の2の１０６万haにとどまっており、残りの3分の1の49万haは未整備の状態にある。いざというときにはコメを作付けできるが平常時には畑作物を作付けできるよう、水田の排水条件改善を一層進める必要がある。

農地転用を厳しく規制する

農地転用面積は、昭和30年代後半からの高度経済成長期に大幅に増加し、昭和48（１９７３）

年には6万8000haとなったが、昭和48年のオイルショック以降の安定成長期には3万ha程度で推移し、平成バブル後の平成3（1991）年に3万6000haの第2のピークを迎え、その後減少傾向で推移している。

令和元（2019）年における農地転用面積（1万6799ha）の内訳は、許可（転用許可を受けて転用したもの）8307ha、届出（市街化区域内農地について農業委員会への届出で転用したもの）3386ha、許可・届出以外（公共転用等）5081haで、その構成比率は49・5％、20・2％、30・2％となっており、公共転用の割合も非常に高い。

優良農地の転用については、一応、農地法や農業振興地域の整備に関する法律（農振法）で規制されてはいるものの、地域振興等の名目で、地方行政が率先して工業用地や商業用地として転用を図っている事例も多くあり、なかなか歯止めがかかっていない。

人口減少時代に入り、また、高い経済成長も期待できない時代でもあり、新規の土地需要に対しては、従前市街地の再開発等により十分応えることができるだろう。

行政自体にも、農地転用許可制度を厳しく運用する姿勢が求められる。

農地を太陽光発電には使わない

平成21（2009）年に再生エネルギーの固定価格買い取り制度であるFIT（Feed in Tariff）が始まって以降、自然再生エネルギーへの転換を図るとともに荒廃農地等を活用する観点から、農地への太陽光発電施設設置を進める動きが加速している。太陽光パネルを設置するための農地転用許可実績をみると、平成23（2011）年度にわずか1haであったものが、平成26（2014）年度には2268haに急増し、令和元（2019）年度は1984haとなっている。

農林水産省は、「再生可能エネルギー設備の設置に係る農業振興地域制度及び農地転用許可制度の適正かつ円滑な運用について（令和3（2021）年3月31日付け2農振第3854号農林水産省農村振興局長通知）」で、以下のような基本的考え方を示している。

- 国民への食料の安定供給のため、国内の農業生産の基盤である優良農地を確保していくことは、重要な課題である。
- 荒廃農地については、その解消が急務であり、再生利用及び発生防止の取り組みを進める一方、こうした取り組みによってもなお農業的な利用が見込まれないものも相当存在している。
- 他方、2050年カーボンニュートラル社会の実現も重要な課題であり、こうした農業的な利用が見込まれない荒廃農地を活用して再生可能エネルギーの導入を促進していくのが適当と考えられる。
- 都道府県知事、市町村長及び農業委員会は、このような考え方を踏まえ、再生可能エネルギーの導入促進の観点から耕作者の確保が見込まれない荒廃農地において、再生可能エネルギー設備の設置の積極的な促進が図られるよう努めるものとする。

しかし、このような状況は、後述するように、国は荒廃農地対策に積極的に取り組んでいるとはいえない状況にあることから、むしろ国自ら農地の減少を促しているとも捉えることもできる。化石エネルギーから再生可能エネルギーへの転換と、食料安全保障への対応は、ともに重要な事項であるが、国民の食料安全保障に責任を負う農林水産省としては、荒廃農地対策にこそ一層力を入れるべきではないか。

農地へ植林しない

農地への植林も農地転用許可が必要である。

農林水産省は、担い手不足などによる農地の荒廃を防ぐため、地域ぐるみでコミュニティー維持に取り組む地区の土地利用支援として、令和３（２０２１）年度から「最適土地利用対策」を行っているが、この対象事業のメニューに令和４（２０２２）年度から粗放的農地利用の一環として「鳥獣緩衝帯機能を有する計画的な植林」を加え、農地の林地化を支援している。

これは、現状の担い手不足、農地の未整備、鳥獣害被害の発生等への対応を優先したものであるが、食料安全保障の観点からは、むしろ林地化を支援する前に荒廃農地を優良農地として再生させ、また、農業の担い手確保策を充実させるなどの農業振興策を優先させるべきであろう。今、国内の森林資源はその管理に困るほど豊富にあり、再造林に苦心している林業サイドに新たに植林する余裕があるのだろうか。

なお、鳥獣害対策としては、農地への放牧や採草地としての利用も有効であろう。放牧や採草地としての利用には比較的簡単な再整備で間に合うのではないか。

荒廃農地対策の現状

農地面積を維持、あるいは増やそうとした場合、改めて山林や埋め立てによって農地を造成するよりも、かつて農地であった土地を利用可能な農地として再整備することがはるかに容易であろう。

前述の「新たな食料・農業・農村基本計画」における農地面積の見通し（図4−2参照）では、①これまでのすう勢（農地の転用や荒廃農地の発生）を踏まえつつ、②荒廃農地の発生防止・解消に関連する施策の効果の効果として、荒廃農地の発生防止17万ha、荒廃農地の解消5万haを見込んでいる。

また、農地の所有者が自ら耕作をせず、遊休農地を放置している場合、農業委員会が、農地所有者に対し、農地中間管理機構と協議すべきことを勧告し、それでも遊休農地を放置している場合には、当該農地に係わる固定資産税の課税強化が行うとしている。

確かに、国の農業農村整備事業には、農業用の用水路・排水路や区画整理といった生産基盤の整備、さらには農村の生活環境整備などを行う各種事業制度が用意されているが、これらを活用した荒廃農地の解消・再生はなかなか実効がともなっていない。

農林水産省が用意している事業は、あくまで荒廃農地の解消等に「活用可能な事業」であって、

「解消を目的とした事業」や「再生を目的とした事業」ではなく、消極的な姿勢が伺える。

国が荒廃農地の解消に及び腰である原因は、くしくも「荒廃農地の現状と対策について（令和2（2020）年4月　農林水産省）」に「（荒廃農地の）解消には多額の費用を要することから、農地の適正な管理により荒廃農地の発生を防止することが重要」との記述があり、財政面からの制約と見て取れる。しかし荒廃農地の解消に要する費用は、新規に農地を開発する費用に比べれば格段に安価である。新規での農地の拡張が難しい状況の中、今ある農地の確保に全力を傾けるべきではなかろうか。

荒廃農地30万haの再整備を

わが国の荒廃農地面積は、約30万haと非常に大きい。この荒廃農地をどう活用するかでわが国の農業は大きく変わってくる。30万haで新たに農業生産が再開できれば、単純に考えても、食料自給率を相当程度上昇させることが可能となるだろう。
①戦後から平成5（1993）年までに造成された農用地面積は約82万ha、②新農村建設を目指した八郎潟干拓で造成された農地面積は1万7000ha余、③新酪農村建設を目指した広域農業開発根室地区で造成された農用地面積は約7000haということを考えれば、約30万haの荒廃農地再整備は、規模においてこれまでにない大規模なものとなる。
なお、①は国、都道府県、市町村等により、②及び③は特殊法人八郎潟新農村建設事業団及び

農用地開発公団を設立して資金を集中的に確保し、実施体制を整えて実施された。

これから理解できるように、荒廃農地約30万haの再整備は並大抵のことではできない。相当の覚悟を必要とするし、それには国民の理解が不可欠であるが、国民への食料の安定供給を目指すうえで不可欠なものと考える。

なお、荒廃農地は全国に点在するが、

- 荒廃農地の囲い込みにこれまでにない仕組みを用意する
- 導入作物・家畜、技術等を開発する
- 新規参入者の募集、研修を実施する
- 経営モデルを創る
- 経営が成り立つ、既存事業にない、直接支払いを含む助成体系を用意する
- 事業実施体制を整える

必要があることから、到底、各都道府県や市町村のみで対応できるものではない。国の主体的な取り組みが不可欠である。

農家への補助体系を、直接支払い、クロス・コンプライアンスの観点から再構築する

農地として維持・保全すべき土地を囲い込み必要な整備を行う、また、そこで営農できる人を探し営農技術を教え、必要な農業機械や施設を用意するといった一連の事業体系を用意したらど

うだろうか。そして、これをやる事業主体に対して国は直接支払いで助成する、さらに、これが着実に進むようにクロス・コンプライアンス（たとえば、ある施策による助成について、別の施策によって設けられた要件の達成を求める手法）を課すといった政策の見直しを提案したい。

もちろん、これらすべてを一挙に行うことは難しい。この場合、食料安全保障の観点から、荒廃農地を含む未整備の土地を国や地方公共団体が（優良農地に整備する）予備軍として囲い込むことを併せて提案したい。

囲い込んだ土地は、一気にすべてを農地として再整備するのではなく、まず草地として放牧等に利用するのもよいだろう。地域の実情や国や地方公共団体の予算を勘案しながら、徐々に整備していくことでもよい。

大切なことは、不足や不測の事態に備えて、国内で必要な農地面積を確保していくという明確な意思の表明である。

中山間地域で、環境に配慮した循環型農村をつくるプロジェクトを提案

ここで、中山間地域の農地、非農用地を一体的に整備するための、一つの案を提示したい。

ハード的に整備する区域は、中山間地域にある未整備の農地（荒廃農地、耕作放棄地を含む）及び農地周辺の山林並びに点在する空き住居を含む非農用地であるが、地域の土地利用はさらに広い範囲で考えたい。

まず、以下のエリアに区分した土地利用計画を策定する。

(1)森林エリア　木材供給、バイオマス供給の役割を果たす。このため、管理しやすいように作業道路等を整備する。

(2)放牧・草地エリア　森林に近いエリアで、耕作放棄された農地を傾斜のある山成に整備して採草や放牧に利用し、草資源を利用した畜産を行う。このエリアは森林と農地、住宅地の間の緩衝帯となり、鳥獣被害の防止や住宅を山崩れ等の災害防止にも役立つ。

(3)居住エリア　住宅は1か所に集約して効率化を図る。住宅の周辺に畜舎や農業用ハウスを配置する。畜産廃棄物は堆肥化するほか、森林資源と合わせてバイオマス資源として利用し、集落の熱・ガス・電気エネルギーを供給する。また、集落からでる汚水も堆肥やエネルギーとして利用する。

(4)農地（水田）エリア　効率的の農業ができるように、できるだけ大区画で水平に水田として整備する。また、生産性向上と環境保全を両立させる「みどりの食料システム戦略」推進のためにも、スマート農業[注7]に十分対応できる、情報インフラを含む先進的な生産基盤の整備が望まれる。なお、農地エリア内には、生態系に配慮して樹木を植栽して緑の回廊を設け、また、農業用の用排水路も水生昆虫や魚類が生息できるように生態系配慮型で整備する。

このような土地利用計画により、次の7つの循環が構築できるのではないか。

①エネルギーを地域内で生み出し、循環させる。

②有機性廃棄物の堆肥化による肥料の循環利用。

注7　スマート農業：ロボット技術や情報通信技術（ICT）を活用して、省力化・精密化や高品質生産を実現する農業。気象、土壌、作物生育等の状態をセンシングにより把握し、必要なときに必要な量の施肥や農薬散布、かんがい等を行うことで環境保全や生産性・収益性向上が可能となる。

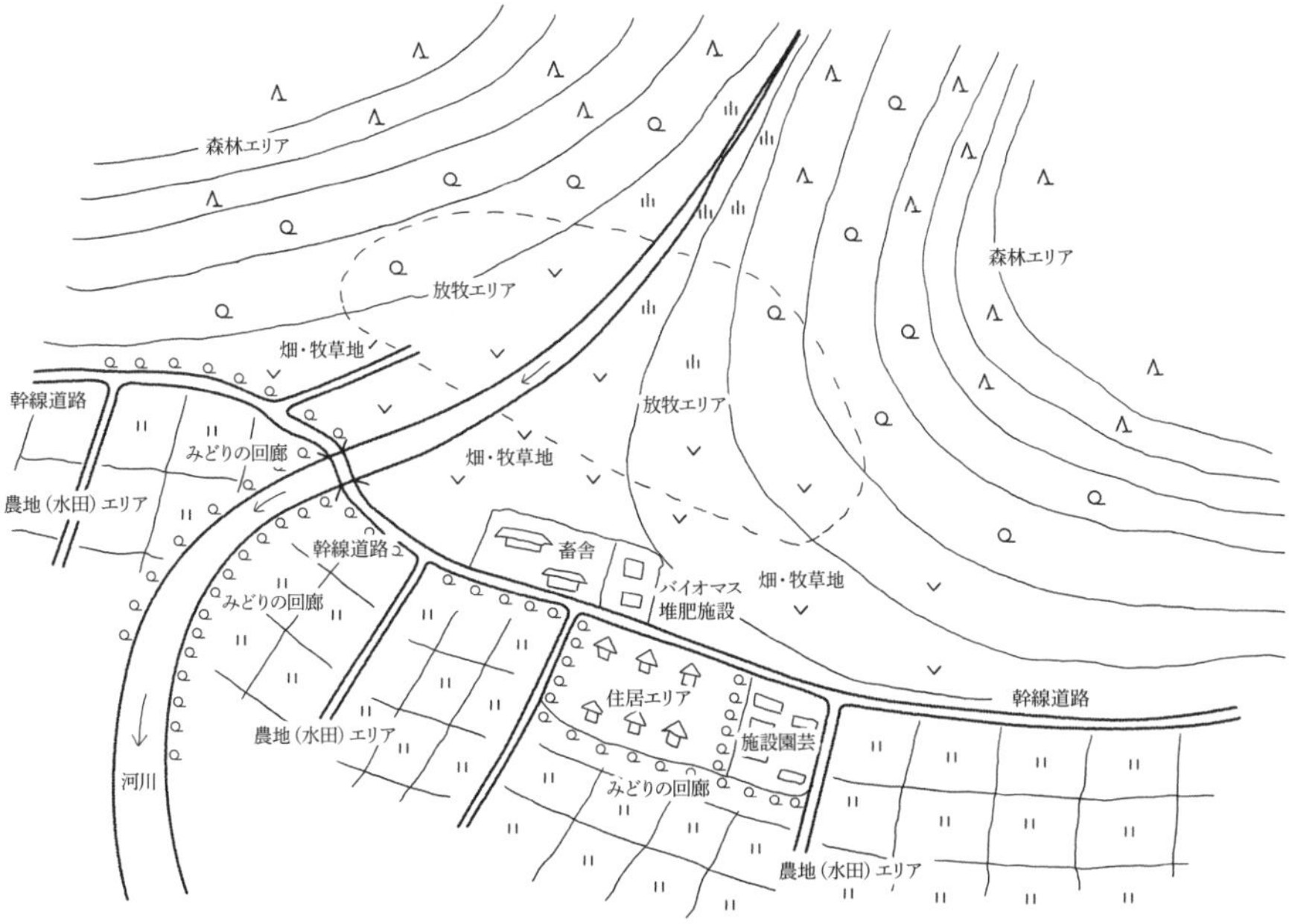

図 4–3　荒廃農地再生事業のイメージ

③人の循環（若い人の新規就農と地域への定着）。

④緑地帯の整備により鳥や昆虫等の、また農業用水路の環境配慮型整備による魚類や水生昆虫等の生息環境の創出と保全。魅力ある農村景観の創出。

⑤地域内で農業及び関連産業を振興し、域内収支を改善。

⑥熱源としての木質バイオマスを活用し、地域でエネルギーを自給。

⑦地域に住み生活する人のプライドを高揚させ、人の流れをつくる。

土地利用計画のエリア内では、すでに各種事業で国の補助対象となっているすべての工種が実施可能とする。事業主体は計画エリアの大きさに応じて国または都道県営とするが、国庫負担率（国の補助率）は事業主体にかかわらずすべて同じとする。さらに農地エリアにある農地中間管理機構が介在する農地の整備は、実質的に農家に費用負担を求めないこととする。

このような制度を創設すれば、荒廃農地、耕作放棄地及びその予備軍を多く抱えている地域から多くの整備要望がでてくるのではなかろうか。そうすれば今後の荒廃農地の発生を防げるばかりでなく、荒廃農地の再生によって実際に利用できる農地を増やすことができると思われる。

以上の具体的なイメージを図4―3に示す。

コラム 9

耕作放棄地の経済的評価

第4章第3節で述べたように、わが国の令和3（2021）年時点の耕地面積は434・9万ha、荒廃農地は28・2万ha、それらをまたぐ形で耕作放棄地は42・3万ha（平成27（2015）年）となっている。

約40万haとみなされる耕作放棄地は、経済的にみてどれくらいの価値があるのだろうか。いくつかの視点から考えてみたい。

【農業生産額】

令和2（2020）年の農業総産出額は、8兆9370億円。当該年の耕地面積は437万haであるので、平均すれば、8兆9370億円／437万ha＝204・5億円／万haの年産出額となる。耕作放棄地40万haが活用されているとすれば、さらに8180億円／年の生産をあげることができる計算だ。

【農地価格】

令和4（2022）年3月31日時点での農地の取引平均坪単価は5713円となっており、これは1731万円／haに当たる。40万haでは約6・9兆円に相当する。

【農地の造成費】

北陸農政局の資料では、昭和の後半に行われた国営農地開発事業の造成費用は200から300万円／10aである。40万haでは8兆円から12兆円に相当するが、仮に今後新たに農地を造成するとすれば、これを大きく上回る費用が必要となろう。なお、現在の農業農村整備事業予算（国費）は年間で5000億円程度。これをすべてつぎ込んだとしても、造成には20年程度の年月が必要となる。

このように、40万ha余に及ぶ耕作放棄地は、経済的にみても非常に大きな価値をもっている。このまま、荒廃するに任せておけば国家にとって大きな損失となることは明らかであろう。

第５節　食料安全保障と畜産

日本の畜産の変化

国民の栄養・嗜好に占める畜産物の役割は極めて大きく、国民１人当たりの供給熱量の18％（令和元（２０１９）年度）を占めている。

古くから耕種農業と関わる家畜飼養であった畜産は、近代に零細農家の副業的経営として産業化していたが、昭和40年代以降規模拡大して専業化し〔＊6〕、現在（令和２（２０２０）年）農業生産額約９兆円の約36％を占める３兆円余の生産額をあげるに至っている。なお、これを支えているのは安価な輸入飼料である。

家畜と飼料

家畜の飼料は畜種、国土の条件により異なるが、粗飼料と濃厚飼料に大別される〔＊7〕。

表 4―2　家畜飼養頭羽数の推移

	1944 年 昭和 19 年 （戦前・戦中のピーク）	1946 年 昭和 21 年	1950 年 昭和 25 年	2018 年 平成 30 年	2021 年 令和 3 年
乳用牛	25 万頭	16	20	133	136
役牛・肉牛	216 万頭	183	225	251	261
馬	122 万頭	105			
豚	42 万頭	9	61	919	929
鶏	2200 万羽	1,500	1,655	32,073	28,036

出典：「畜産行政史―戦後半世紀の歩み―」及び農林水産省「畜産の動向」2022（令和 4）年 4 月

【粗飼料】

牧草や稲わら等。茎葉を乾草（乾燥）、サイレージ（乳酸発酵させ貯蔵性を高めたもの）にして貯蔵可能。濃厚飼料に比べると粗繊維質量が高くエネルギー、タンパク質が少ない。草食動物である牛にとっては栄養源であるだけでなく、生理的に必須。

　自給率76％（令和２（２０２０）年。以下、同じ）。

【濃厚飼料】

　穀類（トウモロコシ、コウリャン等）、大豆油かす、糠（フスマ、コメヌカ等）等。エネルギーやタンパク質が豊富でこれらの供給源として重要。なお、飼料に使う穀類は通常自国の主食（日本の場合はコメ）であるが、日本は輸入トウモロコシ等に大きく依存している。

　自給率12％。

　粗飼料と濃厚飼料を合わせた日本の畜産における飼料自給率は25％である。

【乳牛の飼料】

　粗飼料中心。稲わら、乾草、サイレージ。

【肥育牛の飼料】

粗飼料と濃厚飼料。稲わら、乾草、サイレージ、配合飼料、植物性の食品副産物（おから等）。なお、牛はもともと「草」だけで飼育できるが、牛乳や牛肉を効率的に生産するために、粗飼料だけでなく多くの穀類を給与している。

【養豚の飼料】

濃厚飼料中心。配合飼料、食品副産物（ビール粕、パンくず等）。

【養鶏の飼料】

濃厚飼料中心。配合飼料、食品副産物（ビール粕、パンくず等）。

日本の畜産の課題

今日の畜産は、地場の草資源や余った穀物、糠等を利用するのではなく、輸入濃厚飼料に依存する工場式畜産〔＊8〕（工場（牛舎）に機械（牛）を備え、資源（濃厚飼料）を加工して製品（肉や乳や卵）をつくりだす）で、一方で畜産廃棄物（ふん尿）により国土に窒素、リンを溢れさせ環境に負荷を与えている（コラム3参照）。

また畜産は感受性をもつ生き物との交わりであることから、家畜が誕生から死を迎えるまでの間、そのストレスをできる限り少なくし、行動要求が満たされた健康的な生活ができるような飼育方法を目指す家畜福祉（アニマルウェルフェアAnimal Welfare）〔＊9〕が求められているが、工場式畜産は生産効率を高めるためにこれを満たすことが難しく、世界動物保護協会（ＷＡＰ）が発表した2020年の動物保護指数（API）では、日本の総合評価はEランク、とくに畜産動物の保護に関する法規制はGランクと最低評価で、G7で最下位となっている（*10）。

工場式畜産は、主として飼料輸入港と大消費地の近くに立地するようになり、北海道、鹿児島県、宮崎県、岩手県、茨城県、千葉県の6道県が畜産生産額の約50%を占めている。これは国土の利用にも変化をもたらし、国土利用計画（全国計画）における採草放牧地は年々減少し、現計画（第5次）では計上さえされていない。

表4–3　国土利用計画（全国計画）における採草放牧地の面積（単位：万ha）

計画次数	第1次	第2次	第3次	第4次	第5次
策定年	1972年	1982年	1992年	2004年	2012年
採草放牧地面積	26	11	9	8	計上なし

出典：国土利用計画

今日、畜産のあり方は、次の観点から変更を求められている。

①世界食料需給の逼迫、国際紛争等の不測の事態に備え、国内の食料自給力を強靭化する。

②国際的にプラネタリー・バウンダリーが論じられている。2050年を目標年とする気候変動（コラム2参照）対応が目下の最大の課題であるが、その次には窒素、リンの排出削減が課題となるであろう。とくに、家畜ふん尿による汚染が顕著な日本にとっては大きな課題となる（コラム3参照）。

輸入飼料頼みから自給飼料へ

世界各国、とくに食料輸入国には、世界食料需給逼迫に備えて地球環境の保全に努めながら国内の食料生産力を向上させることが求められる。

日本人の食料消費構造（カロリーベース）をみると、供給カロリー2269kcal／人・日（令和2（2020）年度、第1章図1―1参照）のうち63％は海外から輸入しているが、そのうち6・7％は畜産物、8・5％は家畜飼料の輸入分である。

しかし、これを自給することは極めて難しい。「輸入している畜産物の生産に必要な牧草・トウモロコシ等の量を当該輸入相手国の単収を用いて面積に換算」〔＊11〕すると274万ha、家畜飼料について同様の考えで試算すると339万ha、合わせて約600万haが必要となる。これをわが国の限られた国土で補うために次のような多くの試み、提案がなされている。

①自国の主穀であり、生産を抑制しているコメを給餌する。

②未利用農産物・食品を活用する。

表4―2にみるように、食料需給の逼迫が極限状態にあった昭和19（1944）年、昭和21（1946）年、昭和25（1950）年の豚・鶏は、おそらく未利用の農産物や食品で飼養されていたのではないか。残念ながらその当時の何倍もする未収穫・未利用農産物は野生動物を増加させ、未利用食品は廃棄物として化石燃料を使い、処分されている。

③草資源を活用する。

同じく昭和19年、21年、25年の牛・馬は農耕用の馬、牛が中心で、飼料は野草、稲わらが主であり、山から遠い佐賀平野において水田1ha経営農家に牛1頭飼われていたと聞く。大家畜300万頭（現在は約400万頭）を飼養できる野草、稲わら資源が国土にあった証であろう（コラム5で紹介したスイスでは、現在でも山間の狭い急傾斜地や都市内の空き地で牧草を栽培している）。当時と比べると、現在は水田で濃厚飼料作物も栽培でき、耕作放棄地・荒廃農地も草資源の場として活用できる。

④放牧を活用する。

放牧は家畜飼養の原点であり、草資源の活用、未収穫・未利用農産物の活用、動物福祉、地球環境の保全等に資する。主体は牛であるが、めん羊、豚の放牧もある。

以上については多くの研究がなされ、次のように〔＊12〕専門家において認識されているところである。

食料・農業・農村政策審議会畜産部会での議論

（食料・農業・農村政策審議会畜産部会（令和元（２０１９）年度第８回）配付資料７　「畜産部会でのこれまでの議論について」からの抜粋）

《生産基礎（飼料生産）に関する意見》

・これからの畜産には飼料の自給と排せつ物の有効利用という循環型、持続可能性、多様性という視点が必要。

・耕作放棄地については、経済合理性がなく放置されてきたが、スマート農業や品種改良で人手をかけずに楽に飼料を作れる状況にもなってきている。今後の取組方策を考え、フル活用することで飼料自給率の向上に寄与するのではないか。

・中山間地や荒廃地を利用する上で、放牧のプライオリティを上げるべき。飼料自給率だけではなく、ＳＤＧｓや地域社会の維持等複合的な観点から推進する必要。

・放牧は大事である。森を守る、鳥獣害対策、様々なメリットがあると考えられることから、そのメリットをアピールしてほしい。商品に「放牧」と書けば売りになるのではないか。

・カロリーベースの自給率において畜産の寄与率は大きく、特に飼料が重要。飼料用米やＷＣＳ[注8]はアナウンス効果等がなくなると生産者の関心が下がってしまう。生産者が中長期的に安心して取り組める政策的下支えが必要。

・稲わらを粗飼料として使って、うまく経営している例もある。都府県の水田地帯では、このような取組も検討する必要。

・飼料用米は全国で１８０万ｔくらいの需要があるが、50万ｔくらいしか供給がないので飼料業界としてはもっと使っていきたい。

・飼料の確保が課題。水田フル活用による飼料確保は進めるべきであり、畜産サイドからも積極的に取り組むべき。

・ＴＭＲ[注9]は理想的な飼料であり、飼料用米の割合の検討やエコフィード[注10]等の活用も含め、日本型ＴＭＲ飼料生産に取り組むべき。

・食品残渣の活用について、豊富にある食品残渣を正しく処理して活用すれば大きなコスト削

注8　WCS：稲の穂と茎葉をまるごと刈り取ってロール状に成型したものを、フィルムでラッピングして乳酸発酵させた牛の飼料。

減になる。エコフィードについて、現場では衛生的に管理されていると認識。豚コレラの発生もあり、今後も衛生管理の徹底をお願いしたい。

・国産の飼料を使っていることをブランド価値に繋げることは、腕の見せ所。欧州では原材料や環境までが品質担保のターゲットとされており、日本の畜産物でも国産飼料を使うことでブランド価値を高められれば、生産者が誇りをもって飼料作りに取り組めるようになるのではないか。

・配合飼料価格が高いと感じることから、飼料の内容も含めコスト削減に向けて検討する必要。

畜産により「不測の事態」へ備えよう

「不足」が少なければ、「不測」への対応が軽くなる。しかし、いかに「不足」を少なくしようとも「不測」は、国際紛争、世界の自然災害等により突然生じる。自然災害は気候変動により高まっている。もたざる国日本は貿易自由化政策の下、輸入食料に依存しており、「不測」時への対応がとくに必要である。

「不測」への対応を時間順に並べると次のようになるのではないか。

①家庭、地域、企業、地方公共団体、国における備蓄を利用。

注9　TMR：牛の主食となる粗飼料と副食の濃厚飼料（配合飼料）、さらにはビタミンやミネラルなど、必要な栄養素がすべて混合されている「完全混合飼料」。

注10　エコフィード：食品残渣等を利用して製造された飼料。

②飼料穀物を主食穀物とする。

肉1kgを生みだすのに必要な穀物の量は牛11kg、豚7kg、鶏4kgであり、熱量からは穀物を直接摂取する方が熱量収支から有利である。そのため、各国はその主食穀物を飼料穀物としている。これに倣うと日本の場合はコメとなる。

③家畜を食料にする。

飼料穀物を主食穀物とすることにより家畜を養うことができなくなる。なお、粗飼料で飼養される乳牛等は自給できる範囲で飼養されるだろう。

④採草放牧地を耕地へ転換し、穀物を作付けする。

⑤耕地で主食より高エネルギーの作物（たとえばいも類）を作付けする。

採草放牧地は耕地予備軍である

前記の④と⑤について、食料危機を何度も繰り返しながら国民を扶養してきたヨーロッパには長い歴史があり、「耕地でつくる作物が余りだすと、耕地に柵が張られて家畜が放たれ、穀物需要が高まると再び草地を耕地に戻す」といわれている（＊13）。詳しくみてみよう。

国連世界食糧農業機構ＦＡＯの統計（FAOSTAT）の農地面積は表4－4のように構成されている。

これを世界、西欧の食料輸入国である英国、スイス、ノルウェー、食料の大輸出国アルゼンチン、そして日本について１９６１年と２０１９年の約60年間を対比してみよう。

世界、各国ともに日本のように大きく農地①・耕地③を減少させていない。スイス、アルゼンチンは農地①を減らしても、耕地③は減らしていない。永年性牧草地②をなくしたのは日本だけである。（表４−５）

また、各国とも耕地③の中に耕地④の予備軍１である

表 4–4　FAO　FAOSTAT における農地の内訳

<table>
<tr><td colspan="7">農地</td></tr>
<tr><td rowspan="2">①＝②＋③</td><td colspan="5">耕地</td><td rowspan="2">永年性牧草地②</td></tr>
<tr><td>③＝④＋⑤＋⑥＋⑦</td><td>耕地④</td><td>牧草地⑤</td><td>休閑地⑥</td><td>樹園地⑦</td></tr>
</table>

注：耕地③は耕す農地。耕地④は耕地③のうち作物を作付けする農地。牧草地⑤は耕す牧草地で容易に耕地④となる。永年性牧草地②は耕すことがない牧草地。

表 4–5　2019 年 /1961 年の農地面積の変化（割合）

国名	農地①		
		耕地③	永年性牧草地②
世界		0.87	
イギリス	0.88	0.81	0.91
スイス	0.87	1.04	0.82
ノルウェー	0.95	0.94	1.01
アルゼンチン	0.79	1.73	0.69
日本	0.62	0.73	0.00

出典：FAO　FAOSTAT

表4―6　2019年の農地面積

国名	農地（千 ha）							耕地④予備軍1（⑤＋⑥）／④	耕地④予備軍2（⑤＋⑥＋②）／④
		耕地					永年性牧草地		
			耕地	牧草地	休閑地	樹園地			
	①	③	④	⑤	⑥	⑦	②		
イギリス	17,521	6,132	4,668	1,193	224	46	11,390	0.3	2.7
スイス	1,534	424	269	127	3	25	1,083	0.5	4.5
ノルウェー	984	805	318	482	1	3	179	1.5	2.1
アルゼンチン	108,382	33,701	3,744	26,624	2,265	1,068	74,681	7.7	27.7
日本	4,397	4,397	3,162	962	0	273	-	0.3	0.3

出典：FAO　FAOSTAT

牧草地⑤及び休閑地⑥を包摂しており、主食穀物を増産することができる。ただし日本ではこれらがそのまま主食をつくれる耕地（水田）ではない。

日本を除く各国は耕すことで耕地④の予備軍2（しかも耕地の数倍）となる永年性牧草地②を包摂している（表4―6）。

耕地④、牧草地⑤及び永年性牧草地②の出入りをイギリスについてみてみよう（表4―7）。耕地④面積の増（濃いアミ）減（薄いアミ）に牧草地⑤、休閑地⑥、永年性牧草地②の減（薄いアミ）増（濃いアミ）が対応していることからわかる。

不測時の対応を同じくイギリスについてみよう（＊14）。

第二次世界大戦開戦直前の1939年には農家に石灰等土壌改良剤が供与され、0・14百万haが、また開戦後2年間に2・4百万haが耕地化されている。耕地には単収の高いジャガイモ、小麦が作付けされ、0・4ha当たりそれぞれ40人、20人を養うこ

表 4–7　イギリスにおける農地面積の推移

区分	2001年	2002年	2003年	2004年	2005年	2006年	2007年	2008年	2009年	2010年
農地①	16,953	16,976	16,956	17,051	16,956	17,838	17,647	17,684	17,325	17,224
耕地③	5,702	5,836	5,708	5,868	5,776	6,139	6,131	6,051	6,092	6,016
耕地④	4,403	4,523	4,429	4,544	4,396	4,760	4,744	4,689	4,564	4,564
牧草地⑤	1,205	1,230	1,201	1,246	1,193	1,137	1,176	1,141	1,241	1,232
休閑地⑥	43	33	29	29	140	197	165	175	244	174
樹園地⑦	51	50	49	49	47	45	46	46	43	46
永年性牧草地②	11,251	11,140	11,248	11,183	11,180	11,699	11,516	11,633	11,233	11,208
（耕起）	5,584	5,422	5,683	5,620	5,590	5,967	5,965	6,036	5,865	5,925
（自生）	5,667	5,718	5,565	5,563	5,590	5,732	5,551	5,597	5,368	5,283

区分	2011年	2012年	2013年	2014年	2015年	2016年	2017年	2018年	2019年
農地①	17,164	17,182	17,250	17,232	17,138	17,349	17,466	17,350	17,521
耕地③	6,107	6,258	6,310	6,278	6,060	6,072	6,131	6,083	6,131
耕地④	4,628	4,702	4,602	4,677	4,630	4,620	4,697	4,620	4,668
牧草地⑤	1,278	1,357	1,390	1,396	1,167	1,143	1,144	1,151	1,193
休閑地⑥	156	153	255	160	214	262	241	264	224
樹園地⑦	45	46	45	45	49	47	48	46	46
永年性牧草地②	11,057	10,924	10,940	10,953	11,078	11,278	11,335	11,267	11,390
（耕起）	5,877	5,799	5,802	5,824	6,078	6,118	6,135	6,178	6,207
（自生）	5,180	5,125	5,138	5,129	5,000	5,160	5,200	5,089	5,183

出典：FAO　FAOSTAT

とができ、永年牧草地の2人をはるかに凌駕した。

以上をまとめると、各国とも広義の耕地③には狭義の耕地④以外に容易に狭義の耕地④に転換できる牧草地⑤、休閑地⑥を包摂しており、容易に穀物を生産でき（日本は休閑地⑥がなく、しかも牧草地⑤は容易に水田に転換できない）、また、各国とも農地には耕地③以外にその数倍の永年性牧草地②を包摂している（日本には永年性牧草地②はない）。

日本もこれに倣い、耕作放棄地・荒廃農地や牧草地を、林地転換や太陽光発電地に転換することなく放牧地として活用し、「不測」に備えるべきではないか。

飼料米生産はなぜ広がらないのか

「畜産による「不測の事態」への備え」で述べたように、普段は余った穀物を家畜に食べさせ、穀物が不足するときに、家畜をいただくのが基本である。日本はコメ余りの状況にあるが、家畜にコメを食べさせず、外国から飼料穀物を輸入している。余剰穀物により畜産を成立させ不測の食料危機に備えるという原点に立ち戻るべきときではないか。

カロリー自給率37%（令和2（2020）年）に対して、飼料自給率を反映しない「食料国産率」は46%である。飼料輸入が食料自給率を8・5%も引き下げている。食料自給率向上のカギは飼料自給率の向上である。そしてその第一は水田利用、すなわち飼料用米やWCSの生産である。

遠いアメリカ等からの飼料穀物の輸入は、日本のフード・マイレージ（キロ×トン）を世界最大にしており、それだけ温室効果ガスの排出量も大きいということでもある。飼料穀物等の自給率を高めることは温室効果ガス削減への大きな貢献にもなる。

なお、畜産に関係する窒素の循環、生産された飼料の移動距離縮小、畜産基地の窒素負荷の過多から考えると、畜産基地は飼料米、稲わら、水田転作飼料が利用できる水田地帯にも立地すべきではないかと思われる。

放牧がなぜ進まないのだろうか

放牧は畜産の原点であり、省力化、経費の節約、家畜の健康、耕作放棄地・荒廃農地の活用、獣害の抑制等でも大きな効果がある。国も「放牧活用型持続的畜産生産推進」を掲げている。

北海道足寄町では、20年にわたる壮大な「社会実験」により、放牧の力で飼料自給率80%の「酪農のまち」をよみがえらせた。大幅な飼料費の削減ができて農家所得が向上し、後継者が戻り、新規就農者が増え、地域に子供たちが増え、廃校寸前の小学校も持ち直している（＊15）。

また、山口県の試験場が発想し、行政、地域、農家などの協働により推進されている「山口型放牧」（レンタカウ）は、棚田や急傾斜地などの不利な条件に合わせて行う「低コストで省力的な飼養管理ができる放牧（草地造成をともなわないもの）」で、①繁殖牛生産の省力化（飼料代の抑制、農業所得の増加）、②耕作放棄地の解消、③獣害の拡大防止、④地域の所得確保、⑤癒し効果（ふれあい）、⑥食料の安全保障、⑦景観保全（農村文化の保全）の一石七鳥を目指している。さらにプラスアルファとして、集落全体の取り組みで、雇用の創出、担い手の確保を目指している。

しかし全国的には表表4―8〔＊16〕にみるように、なぜか放牧は微増に留まっている。

また、「山口型放牧」の実施状況（平成26（2014）年度の調査〔＊17〕をみると、貸出側（県の試験場、個人農家）で775頭の牛が用意されているにもかかわらず、借り受けられたのは403頭に過ぎない。しかも、403頭の過半の223頭は山口県である。

なぜ放牧が進まないのだろうか。

①農政は軸足を工場式畜産に置いたままである。

農林水産省が「みどりの食料システム戦略」策定後に公表している「持続的な畜産物生産の在り方検討会中間とりまとめ」の「課題解決に向けた取組」〔＊18〕には、「放牧活用型持続的畜産生産推進」について全く言及がない。

表 4―8　放牧頭数、放牧戸数の推移

<table>
<tr><th>区分</th><th>年</th><th>飼養頭数
万頭</th><th>放牧頭数
万頭</th><th>放牧割合
%</th><th>飼養戸数
戸</th><th colspan="2">放牧戸数
戸</th><th>放牧割合
%</th></tr>
<tr><td rowspan="4">乳用牛
（酪農）</td><td rowspan="2">平成25年</td><td rowspan="2">142.3</td><td rowspan="2"></td><td rowspan="2">19.7</td><td rowspan="2"></td><td>経営内放牧</td><td></td><td>13.9</td></tr>
<tr><td>公共牧場利用</td><td></td><td>35.6</td></tr>
<tr><td rowspan="2">令和元年</td><td rowspan="2">133.2</td><td rowspan="2">27.2</td><td rowspan="2">20.4</td><td rowspan="2">15,000</td><td>経営内放牧</td><td>2,345</td><td>15.6</td></tr>
<tr><td>公共牧場利用</td><td>5,369</td><td>35.8</td></tr>
<tr><td rowspan="4">肉用牛
（繁殖）</td><td rowspan="2">平成25年</td><td rowspan="2">61.8</td><td rowspan="2"></td><td rowspan="2">16.8</td><td rowspan="2"></td><td>経営内放牧</td><td></td><td>7.8</td></tr>
<tr><td>公共牧場利用</td><td></td><td>8.3</td></tr>
<tr><td rowspan="2">令和元年</td><td rowspan="2">62.6</td><td rowspan="2">10.9</td><td rowspan="2">17.4</td><td rowspan="2">40,200</td><td>経営内放牧</td><td>3,686</td><td>9.2</td></tr>
<tr><td>公共牧場利用</td><td>3,601</td><td>9.0</td></tr>
</table>

出典：農林水産省「公共牧場・放牧をめぐる情勢」（令和４年１月）

②「放牧活用型持続的畜産生産推進」施策が総合化される方途が示されていない。

国は、「放牧活用型持続的畜産生産推進」のための予算（令和４（２０２２）年８５３百万円）を計上し、また、農山漁村振興交付金の中に荒廃農地を粗放的利用（放牧や植林等）するための種苗費、管理経費も用意している。さらに都道府県・市町村独自の荒廃農地対策事業も放牧推進のために活用できるようになっているが、荒廃農地の利用権を取得し、畜産の担い手を確保し、これに放牧畜産技術を習得させ、経営資金を提供し、経営を持続できるよう、関係施策が総合化されていない。これらを総合化する方途が用意されなければ、新規就農者を迎えることはできないだろう。

③畜産に取り組んでいる地域が偏っている。

荒廃農地、遊休農地、耕作放棄地は全国的に発生していることから、放牧型畜産も全国で展開されるべきである。特定の道府県に集中する工場式畜産は、国土経営、農村振興、地球環境保全の観点からも望ましいものではない。

④規制と助成が有効に機能していない。

すでにプラネタリー・バウンダリーを超えている窒素、リンによる環境汚染は、温室効果ガス縮減と同様に、全地球的な取り組みが求められている課題である。

オランダのＭＩＮＡＳ（窒素とリンの環境負荷規制のために、すべての畜産農家に対して、農業経営の総投入量と総産出量の提出を義務づけ、その引き算が圃場や環境中に残されるとして、一定量以上には禁止的に高い課徴金を課すという制度）（*19）にみるように、数十年前から農場

表 4–9 「持続的な畜産物生産の在り方検討会中間とりまとめ」の「課題解決に向けた取組」

持続的な畜産物生産を図っていくための課題	→	課題解決に向けた取組
○畜産に起因する環境負荷 地球温暖化、水質汚濁、悪臭等 **○高齢化等に起因した畜産経営の労働力不足** 高齢化、規模拡大　等 **○輸入飼料への過度の依存** 価格変動、需給変動、窒素・リンの過多、気候変動や世界的な人口増加による供給不安　等 等		1．家畜の生産に係る環境負荷軽減等の展開 （家畜改良、飼料給与、飼養管理、家畜衛生・防疫） 2．耕種農家のニーズに合った良質堆肥の生産や堆肥の広域流通・資源循環の拡大 3．国産飼料の生産・利用及び飼料の適切な調達の推進 4．有機畜産の取組 5．その他畜産物生産の持続性に関する取組 6．生産者の努力・消費者の理解醸成

出典：　農林水産省「持続的な畜産物生産の在り方検討会中間とりまとめ」

単位に窒素収支を平衡するように規制されている例もあり、工場式畜産のあり方は大きく変更を迫られている。一方、食料安全保障の観点からは国土を有効に活用する放牧活用型持続的畜産が推奨されている。施策を展開するには援助だけでなく規制も必要であることを忘れてはならない。

日本は果たして現在のような畜産を続けるのか、40年から50年前までの放牧活用の畜産に復するのかの岐路にあるのではないか。

放牧型畜産の展開が期待される遊休農地・荒廃農地・耕作放棄地は全国で約30万haを超える。これはもたざる国の貴重な資源であり、その活用は国家的プロジェクトとして考えるべきである。

コラム 10

飼料価格の高騰で迫られる工場式畜産の見直し

世界的な天候不順や、トウモロコシによるエタノール生産の拡大、中国による大量の飼料用トウモロコシの買い付け、為替市場における円安、ロシアのウクライナ侵攻等により、飼料価格が高騰している。

畜産経営においては、生産費に占める配合飼料（家畜の種類や用途別に、必要な栄養分を十分まかなえるように、いろいろな飼料を適切な割合で混合したもの）費の割合が高い。

農林水産省の「飼料をめぐる情勢」（令和４（２０２０）年9月）によると、「①トウモロコシの国際価格は、令和２（２０２０）年8月ごろまでは3ドル／ブッシェル台前半で推移していたが、令和４年9月は7ドル／ブッシェル台で推移、②大豆油かすの国際価格は、令和2年４月以降、概ね３００ドル／ショートトンを下回って推移していたが、４００ドル／ショートトン中盤で推移、③海上運賃（フレート）は、船腹需要の減少によって令和2年5月には40ドル／トンを下回っていたが、49ドル／トン程度、④為替相場は、令和2年夏以降、円高傾向で推移していたが、直近では円安傾向となり１４２円／ドル程度まで上昇」となっている。

このため、配合飼料の工場渡価格は、「令和2年には6万6～7千円／トンであったものが令和４年7月には10万円以上に高騰」している。また、「乾牧草の輸入価格（通関価格）も、令和３（２０２１）年１月に37円／kgであったものが令和４年７月には60・４円／kgに、飼料用稲わら（約20万トンを中国から輸入）の輸入価格も前年から大幅に上昇」している。

これらの影響により輸入飼料に頼っている畜産農家は大きな打撃を被っている。たとえば、肥育農家では子牛を購入して育てているが、飼料代の高騰により子牛を購入する余裕がなくなり子牛の購入を買い控え、これが酪農家（子牛を生ませないと牛乳が出ない）で生まれた雄の子牛が売れないことにつながり、飼料代の高騰に加えて二重に酪農家の経営も圧迫している。場合によっては子牛を処分せざるを得ないという。

第３章第４節で述べたように、家畜の飼料穀物には自前の余剰主食穀物（日本の場合はコメ）を当てるというのがLivestockの常識である。この基本を踏まえながら日本の畜産が行われていたら、今回のような「不測の事態」にも右往左往することはなかっただろう。

筆者らは、前著『人新世の地球環境と農業』でも、「①国土に生育する草資源を利用する、②食料としては生産過剰になっている稲を飼料として活用する、また水田を飼料作に利用する、③安全保障、国土経営、地球環境保全の視角から、国産粗飼料の利用とふん尿の適正な農地還元を促進することが望ましい」と訴えてきた。

このような事態に、東京大学教授の鈴木宣弘は、「輸入飼料に依存した規模拡大路線から抜けられないわが国の『加工型』畜産の将来に暗雲が広がっている」「日本も、根本的に酪農・畜産の飼料調達構造の転換を急ぐ必要がある」と指摘(注)し、また、放牧型畜産への転換を勧めている。

（注）：鈴木宣弘「飼料穀物高騰の深層〜日本畜産の正念場」【食料・農業問題　本質と裏側】
「JAcom　農業協同組合新聞」２０２１年8月19日
https://www.jacom.or.jp/column/2021/08/210819-53322.php

【参考文献】

＊1　西尾道徳『「農業と環境汚染」』農文協　２００５年

＊2　中野不二男『カラダで地球を考える「完全なる代謝」という発想』新潮社　２００６年

＊3　第1章＊1に同じ

＊4　農林水産省「令和2年度食料自給率・食料自給力指標について」令和3年8月
https://www.maff.go.jp/j/press/kanbo/anpo/210825.html

＊5　「日本の将来推計人口　平成29年推計」人口問題研究資料第３３６号　平成29年7月31日
https://www.ipss.go.jp/pp-zenkoku/j/zenkoku２０１７/pp29_ReportALL.pdf

＊6　大瀧真俊・足立芳宏「人と家畜の近代史 ―畜産史研究の新領域―」
https://www.jstage.jst.go.jp/article/joah/49/0/49_KJ00009962021/_pdf

＊7　農林水産省「家畜飼料の種類について」
https://www.maff.go.jp/j/chikusan/sinko/lin/l_siryo/attach/pdf/index-724.pdf

＊8　浅野幸治「工場式畜産の発展」豊田工業大学ディスカッション・ペーパー第15号
https://www.toyota-ti.ac.jp/Lab/Kyouyou/Humanities/FactoryFarm.pdf

＊9　一般社団法人アニマルウェルフェア畜産協会「家畜の健康と快適な暮らしのしるし」
http://animalwelfare.jp/

＊10　宮原桃子「世界最低ランクの日本『平飼い卵』に見るアニマルウェルフェア」
Sustainability Frontline　２０２１年1月28日
https://www.econetworks.jp/internatenw/2021/01/animalwelfare/

＊11　第1章＊1に同じ

＊12　農林水産省畜産部「畜産部会でのこれまでの議論について」令和元年11月
https://www.maff.go.jp/j/council/seisaku/tikusan/attach/pdf/1118haifusiryou-1.pdf
(令和3年11月30日参照)

＊13　上田孝道『和牛のノシバ放牧』農文協　２０００年

＊14　「How did Britain tackle the food shortages in World War II and what changes had to be made to Agriculture?」
https://yagro.com/en/posts/how-did-britain-tackle-food-shortages-world-war-ii-and-what-changes-had-be-made-agriculture/

＊15　荒木和秋『よみがえる酪農のまち　足寄町放牧酪農物語』筑波書房　２０２０年

＊16 農林水産省「公共牧場・放牧を巡る情勢」令和4年8月
https://www.maff.go.jp/j/chikusan/sinko/shiryo/houboku/attach/pdf/houboku-6.pdf

＊17 農林水産省「牛の貸出制度（レンタカウ）の取組状況調査（とりまとめ表）
平成26年10月3日現在」
https://www.maff.go.jp/j/chikusan/sinko/shiryo/houboku/pdf/rentacow.pdf

＊18 農林水産省「持続的な畜産物生産の在り方検討会の中間とりまとめ（資料5−1）」
https://www.maff.go.jp/j/council/seisaku/tikusan/attach/pdf/210624siryo-8.pdf

＊19 合田素行「コラム オランダのMINASを覗き見る」
https://www.maff.go.jp/primaff/kanko/review/attach/pdf/011228_pr02_16.pdf)

第5章

農業、とりわけ水田のもつ意義

——水田農業は日本のコモンズ

第1章から第4章にわたり「日本の食料事情の危うさ」と「食料不足の危機に備えた日本農業の向かうべき方向」につき述べてきた。それは農地面積の維持確保であり、水田稲作の堅持、畜産の再生であった。

第5章では、日本の食料、農業を担う農村社会のあり方、とりわけ水田稲作を軸とし、「水土の知」[注11]を踏まえて農村を支えていく社会システムを、コモンズ論の視点から改めて捉え直しておきたい。

第1節　人類と農業

人間は食料がなければ生きていけない。人類は、出現以来、食料を求めて永らく狩猟採集の生活を続け、食料の制約から人口増加も限られたものであった。1万1500年前ごろから温暖期に入り、農耕を始めたことにより安定した食料を得る生活が可能となった。

水利に恵まれた肥沃な土壌の農耕最適地に人々が集まり、数千年前に四大文明が発祥する。ナイル川のエジプト、チグリス・ユーフラテス川のメソポタミア、インダス河のモヘンジョダロ・ハラッパ、揚子江・黄河の中国文明である。麦農耕（揚子江は稲とみられる）を基礎にして人々

→ また、これを維持・運営するための社会集団や制度、儀礼、年中行事、慣行などをともなっている。こうした〈水〉と〈土〉と〈人〉の複合系を「水土の知」といい、一つの社会的共通資本として捉えることができる。

が集住、都市が建設され、古代文明が生まれ、人口は激増した。

しかし、四大文明は、塩害・土壌流失（メソポタミア）、気候変動による降水量変化（インダス）、農地開発・都市生活のための山林の乱開発により、農地の生産力が減退、衰亡した。

日本では1万年近くの狩猟採集を基本とする縄文時代の後、紀元前10世紀ごろ、水田稲作が朝鮮半島経由で伝来、数百年をかけて中国、四国、近畿、北陸、東海、関東、東北南部に広まった。水田稲作は多数の人々の組織的作業を要する。また、食生活がより安定したことから、集落が生まれ、それが広域化して幾つもの国が生まれ、国が連合、3世紀半ばには倭国、その支配者として大王（卑弥呼、崇神天皇）が生まれた。

人間の生存の基礎は食料を供給する農業にある。その農業の基礎は水利と土壌、水と土である。これは、文明が高度に発展した今日も変わらない。

20世紀の農業は、品種改良、農薬・化学肥料の使用、化石燃料で動く農業機械の発明、発達により、労力の軽減と生産力の飛躍的拡大を得て、激増する人口を養ってきた。しかし、そのことで、今、世界は温暖化などの地球環境問題に逢着している。また、古くからの水土の知を集積してきた農村集落コミュニティーの崩壊という問題に直面している。人類が地球の自然を支配するアントロポセン（人新世）と呼ばれる今の時代の大きな課題である。

注11 水土の知：日本は人口扶養力の高い水田稲作を基軸とした生存基盤を発展させてきたが、その基礎には季節的偏りのある降雨と比較的制御しやすい地形という特性を有する水と土がある。水と土は自然そのものではなく、循環の仕組みを増進しつつ恵みが受け入れやすいように人工物が組み込まれており、→

第2節 水田農業はわが国の基盤

水田農業はわが国の生存基盤である

■稲作についての認識の変化

農業は我々の生存のための食料を安定して供給する、我々の生存基盤をなすものであり、日本では水田農業、稲作である。

稲作経営が安定して行われた江戸時代でも洪水、冷害、干ばつ、富士山の大噴火などの自然災害により何度も飢饉に見舞われ、多くの餓死者をだしている。明治以降になっても天候異変による不作と飢餓が生起した。

昭和20（1945）年の敗戦直後、国民は飢饉状態にあり、食料確保は国の最重要課題であった。昭和30年代、40年代初めまでは食料増産、農地開発が重要国策の一つで、農地面積は昭和36（1961）年に609万haと最大となっている。

昭和42（1967）年にコメの国内自給を達成。その後、コメ増産は重要政策の地位を失い、逆に、コメの生産調整、減反政策が行われた。

国民の食生活も変化、コメ消費は半減、食料自給率も大幅に低下することとなった。現在では、飢餓、食料難の記憶も遠くなり、多くの食料を輸入に依存、さしたる不安も感じない世となっている。

日本全土の都市化が進み、農業者、水田・農地の減少、放棄耕作地の増加、農村の混住化と過疎化の問題が生じ、農村文化が消滅しつつある（一方、大規模経営農業も相当数生まれている）。

将来への危惧

将来の食料事情を考えると、世界人口の増加、世界の水不足、温暖化など地球環境問題、国際間の紛争、戦争が世界の食料事情に大きな影響を及ぼし、とくに食料自給率が極端に低く、食料輸入依存の高い日本への影響が懸念される。

今の日本では忘れがちとなっているが、安定的な食料供給は国防、治安と並んで日本の安全保障の重要事項である。とりわけコメは、日本人の主食であり、また、日本の自然に適した農作物である。いかなる事態が生じても国民を飢えさせないコメ（稲作）の確保は重要な国策であろう。

農業は過去から現在まで営々として築かれ、維持されてきた水路、圃場、土の改良といった人為の積み重ねの上に収穫物を得ている。放棄、荒廃した田地はすぐには農地には戻らない。また、農産物は生育までの相応の時間を必要とする。

食料危機は、天候異変、国際間の紛争などから瞬時にして発生する。また、今後、世界人口の増加や日本の経済力の相対的低下などにより食料輸入が容易ではなくなる状況も想定される。こうした事態の生起を考えれば、主食であるコメを生産する水田農業の確保と一定量の食料備蓄は日本にとって必須の安全保障策と言えよう。

水田農業は自然と調和、日本に最適な営農

農業は太陽エネルギーと二酸化炭素という無限に存在する自然資源を使って人類が生きるに必要な食料を生産する。農業は自然と共生しながら最も効率的な果実を得る産業である。そして、稲作は湿潤で水資源豊富な日本の風土に最適な農作物であり、日本人が主食とする必然性をもつ。西欧では自然を人間が支配する対象と捉えたがる傾向が強いが、日本では自然と共生するという自然環境調和型の自然観が今も根付いている。

農家、水田、水利施設は、食料の安定供給、自然環境保全、国土景観を支え、地域社会を支える柱である。

地域コミュニティー復活の動き

終戦後、昭和30年代の高度成長時代に工業化そして都市化が進み、農村人口が職と収入を求めて都会へ流出、数十年のうちに農村農業者は著しく減少、高齢化が進み、とりわけ中山間地では、過疎化、耕作放棄地の増加を招来、限界集落を経て農村集落崩壊、農村文化も消滅の危機にある。

これからはコンパクトシティー[注12]を建設、農業者もそこに集住する方が生活も利便を増すとの主張もある。こうした所論に対し、「それはそう簡単な話ではなく、高齢者は集落に住み続ける強い意思をもち、高齢化集落となってもコミュニティーは維持される。農村集落が臨界点を経て消滅に向かうのは、住人たる高齢者が集落生活を諦めたときであり、それは自然災害と子供世帯との断絶による」〔＊1〕ともされる。

近年では、都会生活はかつてのようにあこがれの対象としての魅力は薄れてきた。農業に魅力を感じる人も増え、若年・中年者の農業就労、都会で働いていた後継者の帰農、そこに至らなくても農繁期に帰郷して親の農業を手伝う（農業の機械化で可能となった）後継者家族が増加、そうした帰郷者家族間の連携も生じている実態もある。こうした後継者の定住促進活動も各所でみられる。

集落ではなく、より広域なコミュニティー（旧村程度）も生じている。

市町村行政と農村の距離を埋めるさまざまな組織、サポート人材（コンサルタントと都会の若者）も生まれ、そうした動きを支える公的交付金（建物などのハードだけでなく、地域の計画づくりなどソフト面を支える交付金）も増え、「地域づくり」が盛んとの情報もよく耳にする。小田切徳美〔＊1、＊2〕は、多様な人材の農村での活動は、人が人を呼び、仕事が仕事をつくるとして「にぎやかな過疎（多数の人材の交錯）」と呼んでいる。

行政による農村集落の地域運営組織（RMO：Region Management Organization）の形成も進められている（集落機能を補完するため複数の集落による協議会設置、農地保全（草刈りなど）、

注12　コンパクトシティー：都市的土地利用の郊外への拡大を抑制すると同時に中心市街地の活性化を図るため、人々や街の公共施設、商業施設、娯楽施設、そして交通網がコンパクトなエリアに集積された街のこと。

地域資源の活用（直売所経営など）、生活支援（防災、祭り、高齢者買物支援など）の事業を行う）。

これからの時代は、農業が魅力あるものと見直される時代となる動きがあり、それは新たなコミュニティー形成につながるのではないかと感じる。

第3節　農業農村の捉え方

人類の生存の基本産業として生成、発展してきた農業、農村は、今日、社会的にどう捉えられ、理解されているであろうか。幾つかの切り口を追ってみる。

南方熊楠の萃《すい》点

熊楠は萃点という視点を唱える（萃点とは集まる地点の意とされる）。

熊楠は、「もっとも多くの因果関係が出会う処、世の中の森羅万象、ありとあらゆるものが結びつく処、民俗学・社会学・博物学・地理学・天文学・水文学・言語学などあらゆる学問の重なり合う結節点」を萃点と称した。「問題の謎解きをしようとする時は萃点というもっとも多くの鎖が交錯している処を見つけ出し、その問題と関連する出来事の鎖を一つずつ研究していくことだ」〔＊3〕とする。

柴田明夫〔＊3、＊4〕は、熊楠のいう日本社会における萃点は農業、農村と考え、農業の価値を見直し、価値を高めれば多くのチャンスが生まれるとみる。農村は食料生産の場であるとともに、自然風景の一部、文化の場でもある。しかし、今日、日本の農業資産はフル活用されておらず、食料不足が起きた場合の備え、見通しも欠く。農村には農業を生業としない家、兼業とする家が多くを占めるようになり、農業従事者の減少、耕作放棄地の増加によって農村の風景、文化は衰退、消滅の危機にある。農業資産のフル活用、自給力の確保は錯綜した日本のさまざまな問題解決の糸口になるのではないだろうかとする。

宇沢弘文の社会的共通資本

社会的共通資本

宇沢弘文〔＊5、＊6〕は、一つの国ないし地域に住むすべての人々が、能力を十分に活かし、夢を実現、できる仕事に相応の所得、幸福で安定した家族を得、社会的接触をもち、文化的水準の高い一生を送ることを可能とするような社会的装置を社会的共通資本とする。

社会的共通資本は、経済、社会の基礎であるので一般の物財とは異なる取り扱いが必要で、職業として従事する専門家の知識と規範に基づき管理、維持されるべきものであるとして、具体的には、農業・農村、都市、学校教育、医療、金融、地球環境の各分野について論じている。

■農業・農村は社会的共通資本

宇沢は農業・農村を社会的共通資本として次のような見解を述べている。

農業は「農の営み」として捉えるべきもの。その営みの単位が農村である。

自然に生存する生物との直接的な関わりを通じて生産するという点に農業の基本的特徴を見出す。農業者は概ね主体的意思で個々に生産計画を立て実行できるが、工業部門の従事者はそうしたことからは疎外されている。

一方、農業者は自然条件の予期せざる変動や市場の異常な変動に晒される

農業生産活動は自然に大きな改変は加えない。自然環境の保全（水田農業は保水機能、夏季の温度調節など）にも寄与している。

農業基本法（昭和36（１９６１）年に制定、農業の近代化・合理化を目指す農政の目標と基本方針を明らかにした法律）の思想は、工業部門と同様に、農業に生産性向上、利潤向上を求め、生産基盤整備、機械化、農村の社会的条件改良を積極的に展開しようとした。それは農家の所得向上に資したが、農業を工業と同様に捉え、市場効率性とそれによる評価を農業にもち込んだ。しかし、経営単位の農家は工業の巨大企業、寡占的市場、価格形成力に及ぶべくもなく、格差は拡大、自由貿易の名のもとに農産物輸入を拡大した。

「農の営み」は人間本来のあり方と深く関わるものである。農業者は食料生産だけでなく自然

環境保全、自己疎外することのない生産活動ができる。

国の社会的、文化的水準を維持するためには農村の役割、農業者の一定の存在(人口の20~25%)が必要である。

農家を維持するためには、農村での生活を魅力的にすることが必要であり、生産基盤、学校、病院、文化的施設、交通などの公共サービスの充実、専業農家への所得補償も必要である。農業における経営形態、農村における社会的、文化的諸条件の改編が必要である。

農村を一つの社会的共通資本と考えるべきである。農業部門における生産活動は、1戸、1戸の農家ではなく、一つのコモンズとしての農村(数十から百戸、生産、加工、販売、研究開発などの広い意味での農業活動を総合的、計画的に実行する社会的組織)でなければならない。

ソーシャルキャピタル論

■ソーシャルキャピタルの考え方

近時では、ロバート・パットナム(ハーバード大教授)は、「ソーシャルキャピタルは、協調的行動を容易にすることにより社会の効率を改善し得る信頼、規範、ネットワークのような社会的組織」〔*7〕とし、OECDは、「集団内部或いは集団間で協働を促進するような共通の規範、価値観、理解を伴うネットワーク」〔*8〕とする。

日本では吉村隆、北山秋雄が、ソーシャルキャピタルとは「自然と共生した社会生活から創造される信頼、規範、ネットワーク、文化、伝統的なもので、人々の協調行動と結びつきを強めるような機能を持つもの」(＊9)としている。

■農林水産省のソーシャルキャピタルについての捉え方(＊10)

農林水産省農村振興局は、「農業のソーシャルキャピタルとは農村或いは農村と都市の複数の主体が農村の活性化のための目標を共有し、自ら考え、力を合わせて活動したり、自治、合意形成を図る能力又は機能（農村共同力）」とする。

農村のソーシャルキャピタルは減退している。

農村では自治組織として集落が主体となって生産活動だけでなく祭祀行事など生活全般にわたって活動が行われ、地縁的結びつきの強い安定的な農村コミュニティーを形成、水土の知、地域の文化を承継してきた。とりわけ、主力の水田農業のための農業用水路の共同管理の必要から水利共同体としての性格が農村コミュニティーの根幹であった。

農村集落機能は、地域農業資源の維持管理、農業生産面での相互補完、生活面での相互扶助機能を果たしてきた。しかし、日本全体の工業化、都市化にともない、水田の減少、農業者の減少、農業集落の減少と都市住民との混住化などが進み、農村のソーシャルキャピタルは大きく減退している。

コモンズ

■コモンズとは

コモンズとは共有資源。川、湖、海洋、魚、森林、牧草地など個人や組織が共同で使用、管理する資源、近年では、その資源を持続可能な様式で利用、管理、維持するためのルール、制度、組織とも解されている。

コモンズの利己的利用（いわゆる「ただ乗り」）による持続不能、共倒れはコモンズの悲劇と呼ばれる。地球環境もグローバルコモンズ（国際公共財）と呼ばれ、地球環境問題はグローバルなコモンズの悲劇とされる。

日本ではコモンズとは入会地のようなものと解された。民法２６３、２６４条では入会地について、「各地方の慣習に従うほか、この節（共有）、章（地役権）の規定を準用」と定めている。学説では、入会権とは村落共同体もしくはこれに準ずる地域共同体が土地（従来は主として山林原野）に対し総有的に支配するところの慣習上の物権とする。

宇沢弘文（＊11、＊12）は、コモンズを「ある特定の人々の集団或いはコミュニティーにとってその生活上或いは生存のために重要な役割を果たす希少資源そのもの、或いは、そのような希少資源を生み出す場所を限定して、その利用に関して特定の規約を決めるような制度」と定義、具体例として、空海が開いたとされる満濃池（ため池）を挙げる。

■オストロムの主張〔＊13〕

エリノア・オストロム（１９３３年〜）は、コモンズをCommon Pool Resource（ＣＰＲ：共有資源）と称し、一般的には、川・湖・海洋などの水資源、魚・森林・牧草地などの個人か組織が共同で使用、管理する資源を指し、地球環境のようなグローバルな共有資源をグローバルコモンズとする。

ＣＰＲの管理は市場、政府ではなくコミュニティー（地域主体）が補完的役割を果たしたときに最も効果的になるとし、コモンズの地域主体による管理のあり方として、「①コモンズの境界が明らかであること、②コモンズの利用と維持管理のルールが地域的条件と調和していること、③集団の決定に構成員が参加できること、④ルール遵守についての監視がなされていること、⑤違反へのペナルティは段階をもってなされること、⑥紛争解決のメカニズムが備わっていること、⑦コモンズを組織する主体に権利が承認されていること、⑧コモンズの組織が入れ子状になっていること」を提言する。そして、「共有資源を適切に保全管理することは極めて困難である。それは個人や組織が利己的に行動しがちだからである（ただ乗り）。その結果、コモンズの悲劇が生まれる（大気汚染、水質汚濁、土壌汚染など）。その解決策は、国家による管理（取締法規による規制、税など）か市場による管理（共有資源の利用を民営化、資源の配分を市場に委ねる二酸化炭素の排出権取引など外部不経済の内部化）があるが、いずれも不十分である。第三の方法は、共有資源に利害関係をもつ当事者が自主的に適切なルールを取り決めて保全管理することである（セルフガバナンス）。そのためには、当事者によるモニタリングとルール違反者に対する処罰ルール、コストについての了解などが必要となる。コモンズには単位資源（牧草地・林野・水など）と資源システム（ストックを良好な状態に保つための仕組み）があり、前者には過剰な利用抑制ルール、後者にはシステム設置・修理・維持管理のための役務提供、分担ルールが必要となる」とする。

第4節　水田、水利施設を中心とした新たなコモンズ

農業者共同体がコモンズを育てる

水田農業、それを支える水利施設は日本社会の重要資産である。

農業水利施設を利用する周辺の農業者は、古くから、水利施設を共同で管理する水利共同体（組合、コミュニティー）を形成してきた。それは「水土の知」とも呼べる存在であろう。これからも、稲作営農と水利施設の維持管理には大規模経営、家族経営を含めた地域社会の農家の協調、協力が必要であり、そのための地域の結びつき、結合体が必要である。それは、農業者の自然災

害、天候異変の影響を避けがたい宿命への対応、必要とされる公的支援への対応のためにもなる。

本書で、国としてさまざまな要因による食料輸入不足ないし途絶による食料不足に備え、常時の主食用と非常時用の水田を合わせて３００万ha程度の保持が必要であると述べた。

非常時用の田は常時には稲以外の利用で保持することになる。畑作物栽培、飼料用作物栽培が行われ、堆厩肥利用、畜産との連携という視点も必要となる。

地域の実情に応じた作付け計画が必要であり、その調整が必要となる。そうしたことのためにも地域ごとの組織の存在、さらに全国的調整が必要となる。

また、直接支払交付金（公的助成）の再編成が必要となる。その際、作付け種目と並んで有機栽培、環境配慮などとのクロスコンプライアンスが求められるであろう。

食料不足の事態に備える国民規模の備蓄についても農村コミュニティーが大きい役割を果たし得ると考える。

次のようなレポートもある。「農村コミュニティーの活動は集落という地縁的、血縁的なつながりで結成されていた場合が多いが、最近は、様々なグループ活動を基本としながら、それらのグループ活動相互の調整や共通の目的達成をグループの連合体である協議会を核にして行おうと試みる組織が生まれている。…(中略)…活動の持続性を高めるには、その地域に固有の文化、社会活動を担っていく必要がある。…(中略)…複数の集落が互いに連携して活動する広域の農村コミュニティー活動の展開が注目される」〔＊14〕。

水田や水利施設は古くから地域の農家の発意と同意、農家の費用負担により整えられ、管理されてきている。これはコモンズといえるもので、その手続きは昭和24（１９４９）年制定の土地改良法に活かされている。しかし、都市への人口流出にともない農地所有者と耕作者の分離が多数生じ、混住化も進んだ。こうした事態の変化に応じて土地改良区のあり方も変化を求められている。平成30（２０１８）年の法改正では、改良区のメンバーが耕地の所有者から耕作者に交代する場合の手続き簡略化（農業委員会の承認から届出に変更）、水利調整のルール化などを定めている。今後も、農業水利施設の整備更新、適切な管理、そのための土地改良区の機能は必要であり、改良区のあり方も農村、農業の現状に応じ変えていく必要があろう。

水田農業は日本のコモンズと考える

日本の水田農業は、日本の食料自給の要であり、自然環境保全、農村風景の維持にも資するものである。そして、古くから日本に根づいているものであり、日本の気候、風土に適したものである。

長い年月をかけて、水田、耕作のための水利施設、それらを維持するためのソーシャルキャピタルもつくられてきた。古くからの組織には崩れつつあるものあるが、新しい動きもみられる。

水田農業、水利施設、そして、それを維持する人的システムは国民生活を守るための共通の社会資産と捉えることができよう。さらに、国産飼料、放牧による畜産も守るべき社会資産と考える。

これを日本のコモンズと捉え、その保全、新たな展開を図ることは、日本人共通の感性と日本の国益に適うものと考える。

コラム11

農村ＲＭＯと中山間地域の農用地の保全

農林水産省では、「中山間地域では、高齢化・人口減少の進行により、農業生産活動や農地・走路の保全、買い物・子育てなど集落維持に必要な機能が弱体化」しているとして、農村ＲＭＯ（農村型地域運営組織）への支援を強化している。

農村ＲＭＯの活動は、農用地の保全、地域資源の活用、生活支援が大きな柱となっているが、農用地の保全では「地域の話し合いを通じて、守るべき農地を明確化し、従来の手法では維持困難な農地については、地域内外の新たな人材等を呼び込みながら、放牧、蜜源資源、緑肥作物等、省力作物による粗放的利用等により農用地を保全」するとしており、あくまで地域任せ、コストをかけない最小限の手当ての感が拭えない。

地域の活動に期待するとともに、条件不利な農地を優良農地に再整備し、若者が競って就農できるような条件整備を国が率先してやっていく必要があろう。そうでなければ、農村は、とくに中山間地域は、そのまま衰退の道を歩いていくだけではなかろうか。

【参考文献】

*1 小田切徳美『農山村は消滅しない』岩波新書　2014年

*2 小田切徳美「「にぎやかな過疎」をつくる―農山漁村の地方創生―」全国町村会　2019年1月7日
https://www.zck.or.jp/site/column-article/16740.html

*3 柴田明夫「シリーズ「日本の安全と科学技術」―「食糧安全保障と日本農業の課題」第1回「逼迫（ひっぱく）する世界の穀物需給」」2011年12月2日
https://scienceportal.jst.go.jp/explore/reports/20111202_01/index.html

*4 柴田明夫『食料危機にどう備えるか』日本経済新聞出版社　2012年

*5 宇沢弘文『社会的共通資本』岩波新書　2000年

*6 宇沢弘文『人間の経済』新潮新書　2017年

*7 たとえば、東一洋「なぜ今ソーシャル・キャピタルなのか―前編―」日本総研　2003年11月25日
https://www.jri.co.jp/page.jsp?id=13517#:~:text

*8 たとえば、「「ソーシャル・キャピタル」という新しい概念」
https://www.npo-homepage.go.jp/uploads/report_h14_sc_2.pdf

*9　吉村隆・北山秋雄「中山間地域のソーシャル・キャピタルの検討―中山間地域（岐阜県Ａ市）と都市部（愛知県Ｃ区）の量的調査から―」日農医誌　66巻５号　２０１８年
https://www.jstage.jst.go.jp/article/jjrm/66/5/66_548/_pdf

*10　農林水産省農村振興局　「ソーシャルキャピタルをめぐる内外の動き」及び「農村のソーシャルキャピタルの検討に当たって」平成18年12月19日
https://www.maff.go.jp/j/nousin/noukei/socialcapital/pdf/data103.pdf
及び　https://www.maff.go.jp/j/nousin/noukei/socialcapital/pdf/data104.pdf

*11　*5に同じ

*12　*6に同じ

*13　たとえば、岡田章「エリノア・オストロム教授のノーベル経済学賞受賞の意義」公共選択学会 Public Choice Studies 2010

*14　門馬敏幸「スマート農業と農村コミュニティー」農村計画学会誌40（３）　２０２１年

おわりに――本書の基本認識、指摘と提言の要約

私たち人類（ホモ・サピエンス）は、46億年前に誕生した地球上に、約20万年前に出現した。その後、農耕・牧畜を覚え、文明を興し、近代の市民革命、科学革命、産業革命を経て、地下資源を利用する工業文明を発達させ、今日の豊かな生活を実現させた。

しかし、この50年余の人類の活動は、地球の物質と生命の循環機能を激しく損ない、水、土、大気、生態系などを地球規模で劣化させ、このままでは人類の生存が危うくなることが明白になってきた。

このような認識から、筆者らは平成20（２００８）年にＷｅｂサイト「Seneca21st」を立ち上げ、多くの識者との共同作業により、「地球環境を持続させるに最も大事な物質と生命の循環の視角から地球環境問題に展望を拓く試み」を続けてきた。

また、この成果を基に、令和２（２０２０）年には『人新世の地球環境と農業』を出版し、地球環境問題の本質を解説するとともに、「地球環境問題の最大の課題は農業で、環境に配慮した健全で活発な農業生産こそが問題解決の鍵」であると指摘した。

本著は、すでにSeneca21stでも取り上げてきたが、地球環境の悪化の影響や環境に配慮した農業を行うことで世界の食料生産が人口の増加に対応できない状況が生じ、また気候災害や地域

紛争等により食料確保が困難になる事態を想定し、わが国の食料安全保障をどう講じていくべきかを論じたものである。

本書の要点をコンパクトにまとめれば次のようになる。

1　基本認識

ロシアによるウクライナ侵攻の影響で世界の穀物価格やエネルギー価格が高騰し、わが国でも食料品の値上がりが続いている。さらに、日米の金利差の拡大により円安が進み、これが輸入食料品の値上がりに拍車をかけている。その影響であろうが、昨今、食料安全保障が政治課題として浮上している。しかし、安全保障について根本的議論が行われ、国政全体を見直す動きとなっているとは思えない。

日本の食料自給率は37%（令和２（２０２０）年）にまで低落、食料のおよそ3分の2を輸入に依存している。平和が続き、輸入依存に慣れ、それで済んできたため、わが国の食料事情の危うさを一般国民は忘れている。

さらなる世界人口の増加や気候変動などの地球環境問題、米中、米ロ対立激化などを考えると、今まで無事に済んできた食料確保が、今後はかなり危ない情勢下に置かれると考えねばならない。

本書では、改めて日本の食料事情の脆弱性を明らかにし、訪れる危機を乗り越えていくための基本策を提言する。

2　指摘と提言

【指摘】

日本の食料自給率は、ヨーロッパ各国と比べても極めて低い水準である。

政府は、平成12（２０００）年から5年ごとに策定されている食料・農業・農村基本計画で、食料自給率向上の目標を掲げてきたが、残念なことに目標は一度も達成されていない。この主な原因は農地の減少に歯止めがかからないことにある。冷静に考えれば、生産する農地を減少させておいて自給率を上げるというのには大きな無理があるが、政府には積極的に農地を維持・保全する姿勢が伺えない。

日本の畜産は、国内の草資源等を活用せず輸入飼料穀物に依存する工場式畜産であり、これが食料自給率を８・５％引き下げている要因ともなっている。また、飼料穀物価格が上昇すると、その影響をもろに受ける危うい経営構造でもある。

【提言】

食料の「不足の事態」とは世界全体で食料不足が発生すること、「不測の事態」とは地域紛争や気象災害等により一時的に食料供給に支障が生じることをいい、「不足の事態」が大きいほど「不測の事態」が発生する頻度は高まり対応も困難になる。

食料安全保障は、「不足の事態」における「不測の事態」に備えることである（西欧諸国は基本的対応ができている）。

現在の食生活をベースとすれば、国内の資源で養い得る人口はせいぜい４０００万人から６０００万人程度であろう。「不測の事態」に備え昭和40（１９６５）年ごろのコメ・小麦中心の食生活で全国民の食料を賄うとしたら３００万ha前後の水田（田畑合わせて約６００万ha）が必要で、今後の人口減少を加味しても、約２５０万ha以上の水田を直ちに作付けできる状況で確保しておく必要がある。

農地の拡大・維持は簡単なことではない。耕地利用率の向上、水田の汎用農地化の推進のほか、農地転用を厳しく規制し、未利用農地を太陽光発電、造林に転用することなく採草放牧地として活用する対策が必要である。

また、新規の農地拡張が難しい状況の中、今ある農地の維持に全力を傾けるべきで、荒廃農地約30万haの再整備、中山間地域での環境に配慮した循環型農村をつくるプロジェクトの創設を提案する。

本来の畜産は、普段は人間が食べられない草資源と余った穀物（日本ではコメ）を家畜に食べさせ、穀物が不足するときに家畜と家畜用の穀物をいただき、草地を耕地に転換する（耕地予備軍）性質のものである。輸入飼料に依存する工場式の異形な畜産を水田、未利用農地・草地を利用する本来の畜産に戻し、「不測」に備えることが必要である。荒廃農地・耕作放棄地は貴重な資源であり、飼料米やＷＣＳの栽培、放牧型畜産の展開に活用することを提案する。

水田農業、水利施設、それを維持する人的システム、国産飼料と放牧による畜産は国民生活を守るための共通の社会資産である。これを日本のコモンズと捉え、その保全、新たな展開を図ることは日本の国益に適うもので、世界が求めるグローバルコモンズを先導することにもつながる。

これからの時代をわが国が乗り越えていくためにはこうした認識と対応が必要と筆者らは考えている。国民の自覚、それを踏まえた、あるいは、それを導く国政、農政のあり方が問われている。

本書の執筆に当たっては、農林水産省をはじめ関係公共機関や団体の皆さん、大学の研究者等にも電話等でさまざまな問い合わせを行い、そのつど丁寧なご対応をいただいた。また多くの友人から構成、記述内容などについて貴重なご意見をいただいた。この場を借りて改めてお礼を申し上げる。

さらに、引用、参照させていただいた文献及びその著者の方々にも厚くお礼を申し上げる。文中でご紹介した文献につき誤解や誤用があれば、それはひとえに筆者らの理解不足によるものであり、深くお詫び申し上げたい。

最後に、本書の出版に当たっては、農文協の阿部道彦氏にたいへんお世話になった。深甚なる謝意を表したい。

Seneca21st 話題一覧　http://seneca21st.eco.coocan.jp/

【話題1】『地球環境問題とはどのようなことか―循環の視角から地球環境問題に展望を拓く（1）』中道　宏

【話題2】『なぜ地球環境問題が生じたのか―循環の視角から地球環境問題に展望を拓く（2）』中道　宏

【話題3】『地球環境問題に展望を拓こう―循環の視角から地球環境問題に展望を拓く（3）』中道　宏

【話題4】『水土の知を学ぶ』小泉　健

【話題5】『農業における窒素循環の視角から循環型社会を展望する』大串和紀

【話題6】『農業の多面的機能　それを「守る」ための政策と、「改善」するための政策』荘林幹太郎

【話題7】『今日の環境問題の本質、そして地球温暖化問題』石坂匡身

【話題8】『なぜ今、バイオマスか』柚山義人

【話題9】『バイオマス利活用の技術』柚山義人

【話題10】『農業水利とは』中島賢二郎

【話題11】『水利施設を次世代に』中島賢二郎

【話題12】『農村文化―生活に内在する資源―』山下裕作

【話題13】『水土が育んだ水田生態系の保全に向けて』森　淳

【話題14】『〈かごしまフォト農美展〉に見る水土の知』門松経久

【話題15】『豊かな自然をめざして―コウノトリ野性復帰と農業・農村の整備』矢部誠一

【話題17】『企業的農業経営における収益性追求と環境保全との矛盾及びその統合』甲斐諭

【話題18】『汝（な）は何故（なにゆえ）に斯（か）くも美しきか、何故に水の姿を纏（まとい）しか』川尻裕一郎

【話題19】『「トキと共生する島」佐渡の農業農村整備―〝餌場づくり〟から〝トキと暮らす水田〟へ―』宮里圭一

【話題20】『宮城県「蕪栗沼・周辺水田」の『ふゆみずたんぼ』～ラムサール条約湿地での多様な生きものを育む取組み～』みやぎ・ふゆみずたんぼ研究チーム

【話題22】『鹿児島大規模畑作地帯における新たな〈水土の知〉への挑戦』門松経久

【話題23】『人による自然破壊から見た種ヒト（ホモ・サピエンス）―延命のために豊かな自然を継ぐ―』寺本憲之

参考

【話題24】『環境倫理とはどういうことか―環境問題の捉え方』石坂匡身
【話題25】『和の経済』三野耕治
【話題26】『科学／技術の総合化』小泉　健
【話題27】『地球を意識しながら、日本の食料自給力の確保と持続可能な国土経営を考えよう』石坂匡身、中道　宏
【話題28】『循環の感性を育む「田んぼの学校」―環境教育活動としての可能性を展望する―』宮元　均
【話題29】『世界のパンカゴ・南米の激しい土壌侵食とアンデス天空の高地における砂漠化防止対策の取り組み』吾郷秀雄
【話題30】『経済学的な視点から話題27を読み解き、考える』大串和紀
【話題31】『高齢者と大学の協働（コラボレーション）による地域おこし』吾郷秀雄
【話題32】『持続可能な国土経営の展望（農業農村）を創ろう』中道　宏
【話題33】『都市と農村の関係はいかにあるべきか』中道　宏
【話題34】『農業土木・土地改良・農業農村整備・水土の知とはなにか―九州大学農学部地域環境工学概論講義ノートから―』大串和紀
【話題35】『東日本大地震被災地における農業農村の復興について提案』中道　宏
【話題36】『地球環境時代の経済成長を考える』一方井誠治
【話題37】『農業・農村における創エネと節エネ』柚山義人
【話題38】『世界の〈水土の知〉の例』中道　宏、吾郷秀雄、清水真幸、安中正美、富澤清治、山崎　晃
【話題39】『水田農業とエネルギー問題』吉田修一郎
【話題40】『土地改良区のおじさんが取り組んだ浦河町「田んぼの学校」10年の歩み―子どもと大人がコメづくりと人とのふれあいを体験した―』西　利明
【話題41】『農村振興におけるソーシャル・キャピタルの形成に関する考察と提言』吾郷秀雄・中桐貴生

Seneca21st 話題一覧　http://seneca21st.eco.coocan.jp/

【話題43】『バイオマスタウンの構築と運営』柚山義人

【話題44】『木質バイオマスは再生可能エネルギーの一翼を担えるのか』中道　宏

【話題45】『移転する水土の知―愛知用水を例に』日高修吾

【話題46】『生態系ネットワークの形成と物質・生命循環』森　淳

【話題47】『農業農村における小水力発電の取り組みについて』梅川　治

【話題48】『農の造る風景―かごしま農36景から―』門松経久

【話題49】『「知」の共同体と〝自発的知〟の創造』川尻裕一郎

【話題50】『農地・農業水利資産と農業土木技術について』中　達雄

【話題51】『農地集積による地域農業システムの確立に向けて』中保昭雄

【話題52】『高齢化山間集落における農地保全と担い手育成の積極的取り組み』田村邦麿

【話題53】『地下水位制御システム（フォアス）の魅力と地球環境への貢献』小泉　健

【話題54】『危機的状態の地球窒素循環』生田義明

【話題55】『農村での排出削減で得られる炭素クレジット』松原英治

【話題56】『窒素循環の観点から考えるメタン発酵消化液の液肥利用』中村真人

【話題57】『エントロピーと物質循環―地球環境問題への一つの視点―』中澤　明

【話題58】『インドネシア・ランポン州における水田灌漑とダムの機能の照査』山﨑　晃

【話題59】『農業におけるリン循環の視角から循環型社会を展望する』大串和紀

【話題60】『持たざる国の資源・エネルギー政策を構築しよう』中道宏・大串和紀

【話題72】『気候変動は進んでいる』中道　宏

【話題73】『生物種が加速的に絶滅している』中道　宏

【話題74】『人口増加は止まるか』中道　宏

【話題75】『地球の循環とは何か』大串和紀

参考

【話題76】『自然環境資源を劣化させ、鉱物資源、化石エネルギーを枯渇するまで使い続けるのか』中道　宏・大串和紀

【話題77】『人口減少・高齢化が進むなかで、農業農村に人口を確保できるか』中道　宏

【話題91】『農業農村は国土のバイオキャパシティを十全に活用していない』中道　宏・大串和紀

【話題92】『Seneca21st の提案（1）—国土のバイオキャパシティを健全にかつ活発に活用する仕組みを整える』

【話題93】『Seneca21st の提案（2）—人生ドラマ上演の劇場たりえる農村を創る』

【水土の写真アルバム】野の風の道（新潟）　野沢恒雄

【水土の写真アルバム】鹿児島　東　桂子

【水土の写真アルバム】茨城県

著者略歴

石坂　匡身（いしざか　まさみ）

1939（昭和 14）年　東京都生まれ。

1963（昭和 38）年　東京大学法学部卒業後大蔵省で「農林予算担当」など財政の仕事に従事。その後、環境省で環境基本計画の策定などの環境政策の仕事に従事。環境事務次官を務め 1996（平成 8）年退官。退官後、中央環境審議会委員、地球環境戦略機構（IGES）評議委員会議長、神奈川県環境審議会会長、(財)日本農業土木総合研究所理事などを歴任。(一財) 大蔵財務協会理事長を務める。

主な著書に『環境政策学：環境問題と政策体系』（中央法規、2000、編著）、『今、財政を考える』（大蔵財務協会、2012）、和邦夫のペンネームで『倭　古代国家の黎明』『頼朝と尊氏』『戦国乱世と天下布武』『幕末・明治　激動の 25 年』『太平洋戦争と日本の命運』（いずれも大蔵財務協会刊）がある。

大串　和紀（おおぐし　かずのり）

1950（昭和25）年　佐賀県生まれ。

1974（昭和48）年　九州大学農学部卒業後農林水産省に入省。農林水産省、国土庁、福島県、徳島県、水資源開発公団で勤務。

九州農政局長を務め 2004（平成 16）年に退官。その後、(財)日本農業土木総合研究所専務理事、(社)農村環境整備センター専務理事、(株)竹中土木常務執行役員を経て、岩田地崎建設（株）顧問。

農学博士、技術士（農業部門、総合技術監理部門）。

中道　　宏（なかみち　ひろし）

1939（昭和 14）年　長崎県生まれ。

1963（昭和 38）年　京都大学農学部卒業後農林水産省に入省。農林水産省、国土庁、秋田県で勤務。

構造改善局次長を務め 1992（平成 4）年に退官。その後、水資源開発公団理事、農村振興技術連盟委員長、(財)日本農業土木総合研究所理事長、中央環境審議会委員等を務める。

工学修士、農学博士。

著書に『水と土に恵まれて』（(株) 公共事業通信社、1989、共編著）、『農業水利計画のための数理モデルシミュレーション手法』（(社)農業農村整備情報総合センター、1993、共編著）がある。

石坂・大串・中道の共著で『人新世の地球環境と農業』（農文協　2020 年）がある。

日本は食料危機にどう備えるか

コモンズとしての水田農業の再生

2023年2月20日　第1刷発行

著　者　石坂 匡身　大串 和紀　中道 宏

発行所　一般社団法人 農山漁村文化協会
〒335-0022　埼玉県戸田市上戸田2丁目2-2
電話　048(233)9351(営業)　048(233)9376(編集)
FAX　048(299)2812　振替　00120-3-144478
URL　https://www.ruralnet.or.jp/

ISBN978-4-540-22211-5

DTP製作／(株)農文協プロダクション
印刷・製本／凸版印刷㈱

定価はカバーに表示、乱丁・落丁本はお取り替えいたします。